新訂版 写真でわかる
看護のための
フィジカルアセスメント
アドバンス
生活者の視点から学ぶ身体診察法

監修
守田　美奈子
日本赤十字看護大学　学長

医学指導
鈴木　憲史
日本赤十字社医療センター
骨髄腫アミロイドーシスセンター
センター長・輸血部長

インターメディカ

まえがき

本書は、2011年に村上美好氏の編纂により出版された『写真でわかる看護のためのフィジカルアセスメント』の増補改訂版です。村上氏は、基礎教育だけでなく臨床教育も「徹底して『身体診察・評価』を実践する訓練をシステム化することを提案したい」と旧版のまえがきに書かれ、看護師のフィジカルアセスメント能力を高めることの必要性を熱く説かれました。看護職の役割拡大が進んでいる今日、ますますこの能力の重要性が再認識されています。

フィジカルアセスメントを学ぶ時に、学生や新人看護師等が最初に戸惑う課題の一つに、医師の診察と看護師のフィジカルアセスメントの違いは何か、ということがあります。この質問に答えられるように、本書は「生活行動に即した看護アセスメント」の視点と内容に基づき構成しています。また、学生や新人看護師等、初学者が理解しやすいように写真を多用し、事例を用いた看護展開を加えるなど、看護実践に即した内容となっています。
今回の新訂版発行に至るまでには、フィジカルアセスメントの実践能力をより高められるよう、判断根拠となる知識をさらに盛り込み、写真やイラストなども必要に応じて更新してきました。またWeb動画を用いて、フィジカルアセスメントの流れが「動き」として理解できるようにブラッシュアップしました。看護の視点を重視した本書のねらいは、「生活者の視点から学ぶ身体診察法」という副題に現れています。

看護はどのような状況下にあっても、その人らしい生活ができるように、人間の健康や一人ひとりの生活、人生を守り、支える役割を持っています。看護職が行うフィジカルアセスメントは、この看護の使命や目的に即して行われます。
看護師は五感を用いて、患者の状況を理解します。患者の身体に触れることで、観察だけではなく安心感や癒やしを同時にもたらすことができます。この看護におけるフィジカルアセスメントの技能の特性をよく理解し、病院や地域、福祉施設等、看護が求められるそれぞれの場で、フィジカルアセスメントの能力を培い、生かすことが大切です。フィジカルアセスメントの力を高めていけるよう、本書を活用していただけることを心から願っております。

最後に、鈴木憲史先生（日本赤十字社医療センター骨髄腫アミロイドーシスセンター センター長）には、医学的観点からていねいな医学指導と資料提供をしていただきましたことに心から感謝いたします。さらに、インターメディカ社長・赤土正幸様をはじめ、本書の制作に加わっていただきましたスタッフの皆様方に厚く御礼を申し上げます。

2019年12月 吉日
日本赤十字看護大学 学長
守田美奈子

医学指導のことば

日本赤十字社医療センターで43年間、血液内科医として休まず働き、38年間日本赤十字看護短期大学そして日本赤十字看護大学で内科学講義を受け持っております。その間、医療センターにおいて、医師として的確な診断と最新治療を心がけておりますが、一人ひとりの患者さんと接する時間はせいぜい10分程度です。
入院患者さんの場合、その何十倍も看護師さんと接しているわけで、看護師さんたちの資質が病院の最重要機能であり、病院の評価を決めるといっても過言ではありません。

看護師さんの日々のフィジカルアセスメントの技能の高さで、患者さんの病状の早期変化に気づき、その報告を受けて適正に対応でき、救命し得た白血病の症例経験も多数あります。
人間の体内恒常性（ホメオスタシス）維持機能はかなりの予備能力をもっています。しかし、敗血症性ショックを例に取りますと、いったん破たんすると不可逆的な変化となってしまい、看護職の前兆への気づきが最も重要です。

外来看護でも、福祉施設での看護でも基本は同じだと思います。単なる知識だけでなく、五感を使ってのフィジカルアセスメントで、なにか変だぞという「sense of wonder」を研ぎ澄ますことが看護職に求められると思います。

看護学生や新米看護師がすぐに優れた技能を身につけるのは難しく、先輩看護師の日夜の指導で獲得すると思われます。そのようななか本書は、わかりやすい写真と鮮明なWeb動画で視覚や聴覚をも刺激し、楽しくフィジカルアセスメントを会得できるよい教材だと思います。

守田美奈子教授を中心にして多数の看護大学教員とともに心音や呼吸音の音質調整、動画による病態の理解などを徹底的にまとめた実践的な技能書ができたと思います。2025年問題も差し迫ってきております。本書を活用して勉強し、よりよい看護師さんになってほしいと思います。

2019年12月 吉日
日本赤十字社医療センター骨髄腫アミロイドーシスセンター
センター長・輸血部長

鈴木憲史

新訂版 写真でわかる 看護のための フィジカルアセスメント アドバンス CONTENTS
生活者の視点から学ぶ身体診察法

まえがき ……………………………………………………………………… 2
医学指導のことば …………………………………………………………… 3
本書をご活用いただくために！ …………………………………………… 8
本書のWeb動画の特徴と視聴方法 ……………………………………… 10

CHAPTER 1　フィジカルアセスメントに共通する技術

面接 …………………………………………………………………… 14
- ●面接の準備 ………………………………………… 15
- ●入室から面接開始まで …………………………… 17
- ●面接の実施 ………………………………………… 18

> Web動画　面接の実施／面接を行う際の留意点

身体診察 ……………………………………………………………… 22
- ●視診 ………………………………………………… 23
- ●触診 ………………………………………………… 24
- ●打診 ………………………………………………… 25
- ●聴診 ………………………………………………… 26

> Web動画　触診／打診／聴診

CHAPTER 2　フィジカルアセスメントの実際

一般状態と生命徴候 ………………………………………………… 30
- ●一般状態の観察 …………………………………… 31
- ●体温の観察 ………………………………………… 33
- ●脈拍の観察 ………………………………………… 38
- ●呼吸の観察 ………………………………………… 41
- ●血圧の観察 ………………………………………… 45
- ●意識レベルの観察 ………………………………… 54

> Web動画　呼吸の観察／そのほかの異常呼吸／異常呼吸の種類としくみ／血圧の測定（アネロイド血圧計）

生命を維持する ……………………………………………………… 58
　循環器系のフィジカルアセスメント ……………………………… 59
- ●胸部・頸部の視診 ………………………………… 63

- ●動脈の触診 …………………………………… 66
- ●心尖拍動とスリルの触診 …………………… 73
- ●心音・心雑音・頸動脈の聴診 ……………… 76

呼吸器系のフィジカルアセスメント …………………… 83
- ●呼吸器系の視診 ……………………………… 88
- ●呼吸器系の触診 ……………………………… 91
- ●呼吸器系の打診 ……………………………… 94
- ●呼吸器系の聴診 ……………………………… 96

> **Web動画** 心音・心雑音の聴診／聴診部位：心臓の4つの弁と頸動脈を聴診／呼吸運動のしくみ／聴診部位別の正常呼吸音／呼吸音の異常（いびき音、笛音、捻髪音、水泡音）

見る・聴く・嗅ぐ・味わう・触れる・話す …………… 104
- ●見る …………………………………………… 108
- ●聴く …………………………………………… 117
- ●嗅ぐ …………………………………………… 122
- ●味わう ………………………………………… 124
- ●触れる ………………………………………… 128
- ●話す …………………………………………… 130

> **Web動画** 眼の視診・触診／眼球運動・眼振の観察／「話す」機能の異常（構音障害、運動性失語、感覚性失語）

身体を動かす …………………………………………… 134
- ●歩くこと ……………………………………… 137
- ●関節の動き …………………………………… 144
- ●筋力 …………………………………………… 154
- ●反射の動き …………………………………… 158

> **Web動画** 歩行テスト／疾患に特有の歩行異常（パーキンソン病、痙性片麻痺）／股関節の測定／筋力のスクリーニング／打腱器の用い方／膝蓋腱反射／バビンスキー反射

身体を守る ……………………………………………… 164
- ●皮膚・爪・頭皮・毛髪 ……………………… 165
- ●リンパ系 ……………………………………… 170
- ●甲状腺・副甲状腺 …………………………… 174

CONTENTS

食べる・栄養をとりこむ ……………………………………… 178
- ●咀嚼し、嚥下する ………………………………… 179
- ●消化・吸収する ……………………………………… 184

Web動画 嚥下のしくみ／咀嚼・嚥下機能の触診

排泄する ……………………………………………………… 192
- ●下腹部のフィジカルアセスメント ……………… 193
- ●直腸・肛門のフィジカルアセスメント ………… 200
- ●泌尿器のフィジカルアセスメント ……………… 202

Web動画 下腹部の聴診／下腹部の打診／下腹部の触診

セクシャリティ ……………………………………………… 209
- ●女性乳房のフィジカルアセスメント …………… 210
- ●男性性器のフィジカルアセスメント …………… 215
- ●女性性器のフィジカルアセスメント …………… 216

Web動画 乳房の触診

加齢による変化 …………………………………………… 220
- ●高齢者の面接 ……………………………………… 221
- ●加齢に伴う全身状態の変化 …………………… 223
- ●排泄の変化：尿失禁・頻尿 …………………… 225
- ●精神活動の変化：認知症・せん妄 …………… 226
- ●生活行動の機能評価 …………………………… 228

生命の危機 ………………………………………………… 230
- ●ショック …………………………………………… 231
- ●脳卒中 ……………………………………………… 233
- ●糖尿病性昏睡・肝性昏睡 ……………………… 237

索引 ………………………………………………………… 241

参考文献 …………………………………………………… 244

EDITORS/AUTHORS

【監修】

守田　美奈子　日本赤十字看護大学　学長

【医学指導】

鈴木　憲史　日本赤十字社医療センター　骨髄腫アミロイドーシスセンター　センター長・輸血部長

【指導】

安達　祐子　東京家政大学　健康科学部　看護学科　教授
田中　孝美　日本赤十字看護大学　成人看護学　准教授

【執筆】

安達　祐子　東京家政大学　健康科学部　看護学科　教授
（CHAPTER1　面接／身体診察　CHAPTER2　一般状態と生命徴候／見る・聴く・嗅ぐ・味わう・触れる・話す／生命の危機）

田中　孝美　日本赤十字看護大学　成人看護学　准教授
（CHAPTER2　生命を維持する／食べる・栄養をとりこむ／排泄する／セクシャリティ／加齢による変化）

樋口　佳栄　日本赤十字看護大学　基礎看護学　講師
（CHAPTER2　身体を動かす／身体を守る）

【資料提供】

松本　英之　日本赤十字社医療センター　神経内科　副部長
武井　正人　日本赤十字社医療センター　眼科

【撮影協力】

安島　幹子　元日本赤十字看護大学　基礎看護学　助教
殿城　友紀　日本赤十字看護大学　基礎看護学　講師
山元　美乃　元日本赤十字看護大学　基礎看護学　助手

【協力】

日本赤十字看護大学

本書をご活用いただくために！

看護師が行うフィジカルアセスメントの意義

　フィジカルアセスメントとは、健康状態を査定するために行う身体の診察・評価のことです。診断、治療のために医師が行う診察とナースが行う診察は、どこが違うのでしょうか？

　看護とは、あらゆる年代、あらゆる健康レベルの人が、自らの力を発揮してその人らしく生きていけるよう援助することです。そのためには看護の対象者である人間を、身体的・心理的・社会的存在として全人的にとらえることが必要となります。

　ナースはベッドサイドで患者と接する機会が多く、患者の日々のわずかな変化でも早期にキャッチすることが可能です。例えば、いつもは、食欲旺盛な患者であるのに、何となく元気がなく食事を残すことが多くなってきました。腹痛などの訴えはありません。このような変化に気づいたナースはどのような行動をとるでしょうか？

　腹部を観察するだけでなく、食事が食べられない状況に至った過程、生活状況、心理状態、家族背景などを全体としてとらえ、問題と原因をアセスメントし、ケアを実践していきます。

　必要な情報を聴くための面接技術に加え、腹部状態にフォーカスして身体的状況を把握するための、身体の診察技術が必要となります。また、把握した身体状況をアセスメントするためには、看護の専門知識も必要となります。

　さらに、実践したケアの効果を評価するためにも面接や身体診察技術、看護の専門知識を活用していきます。

　このように、身体診察でとらえた情報を他の情報とあわせてアセスメントし、ケアや評価につなげていくところが、看護にお

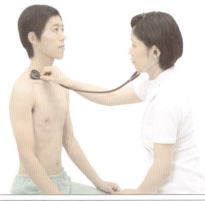
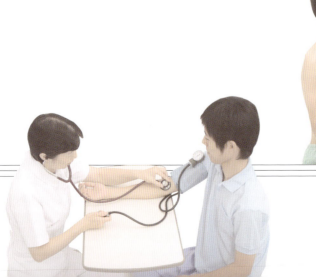

けるフィジカルアセスメントです。

さらに、看護はチームで実践していきます。「頭を痛がっている」ではなく、「昨日から、後頭部から前頭部にかけての鈍痛が持続している」というように、一人ひとりの患者の状態を正確に他者に伝えるためには、専門用語を用いた言葉の表現や記録が必要となります。

本書は、看護師が行うフィジカルアセスメントについて解説するため、身体の診察を医学的な分類ではなく、生活する人間としての章立てにしました。本書を十分ご活用いただくため、次のように学習を進めてください。

1 診察に必要な知識や技術などフィジカルアセスメントの基本について学ぶ。

2 診察技術を繰り返し練習する。

3 各章の最後にある「事例」を患者モデル役に行ってもらい、「フィジカルアセスメントの内容と進め方」に沿って診察を実施する。

4 診察の結果(「事例」に記載されている)をアセスメントし、健康状態を査定する。

学習者が❶〜❹のステップを踏むことにより、診察技術の修得度が上がり、学習した知識をどのように活用して診察やアセスメントを行うのかという理解が深まることと思います。

本書のWeb動画の特徴と視聴方法

「写真でわかる アドバンス」シリーズの動画が
Web配信でより使いやすく、学びやすくなりました！

Web動画の特徴

- テキストのQRコードをスマートフォンやタブレット端末で読み込めば、リアルで鮮明な動画がいつでも、どこでも視聴できます。
- テキストの解説・写真・Web動画が連動することで、「読んで」「見て」「聴いて」、徹底理解！
- Web動画で、看護技術の流れやポイントが実践的に理解でき、臨床現場のイメージ化が図れます。
- 臨床の合間、通勤・通学時間、臨地実習の前後などでも活用いただけます。

本書のQRコードがついている箇所の動画をご覧いただけます。

本文中のQRコードを読み取りWeb動画を再生。
テキストと連動し、より実践的な学習をサポートします！

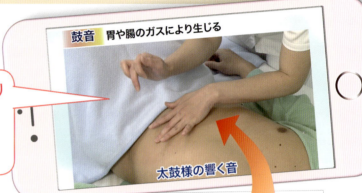

打 診

1-4

身体の各部位を叩き、音を聴き、指で感じます。
その音や振動から臓器内部の様子、大きさや位置をみます。

打診でわかること
- 胸部や腹部の臓器の大きさ
- 密度、洞
- 臓器の圧痛

留意点
- 安楽な体位をとり、リラックスしてもらいます。
- 看護師は爪を短く切ります（皮膚を傷つけない。筋肉の緊張を避ける）。
- 看護師は、あらかじめ手を温めておきます。
- 体表面から体内の臓器をイメージしつつ、正常な状態と比較しながら実施します。

CHAPTER 1 身体診察

※無断で動画を複製・ダウンロードすることは法律で禁じられています。

Web動画の視聴方法

本書中のQRコードから、Web動画を読み込むことができます。
以下の手順でご視聴ください。

①スマートフォンやタブレット端末で、QRコード読み取り機能があるアプリを起動します。
②本書中のQRコードを読み取ります。
③動画再生画面が表示され、自動的に動画が再生されます。

弊社特設ページからも視聴できます

QRコードのついた動画は、すべてインターメディカの特設ページからもご視聴いただけます。以下の手順でご視聴ください。

①以下URLから特設ページにアクセスし、下記のパスワードを入力してログインします。

https://www.intermedica.co.jp/video/9557
パスワード：k5p56j

※第三者へのパスワードの提供・開示は固く禁じます。

②動画一覧ページに移動後、サムネールの中から見たい動画をクリックして再生します。

＊QRコードが読み取れない場合は、上記URLの特設ページよりご視聴ください。

閲覧環境

- iOS搭載のiPhone／iPadなど
- Android OS搭載のスマートフォン／タブレット端末
- パソコン（WindowsまたはMacintoshのいずれか）

・スマートフォン、タブレット端末のご利用に際しては、Wi-Fi環境などの高速で安定した通信環境をお勧めします。
・インターネット通信料はお客様のご負担となります。
　動画のご利用状況により、パケット通信料が高額になる場合があります。パケット通信料につきましては、弊社では責任を負いかねますので、予めご了承ください。
・動画配信システムのメンテナンス等により、まれに正常にご視聴いただけない場合があります。その場合は、時間を変えてお試しください。また、インターネット通信が安定しない環境でも、動画が停止したり、乱れたりする場合がありますので、その場合は場所を変えてお試しください。
・動画視聴期限は、最終版の発行日から5年間を予定しています。なお、予期しない事情等により、視聴期間内でも配信を停止する場合がありますが、ご了承ください。

QRコードは、（株）デンソーウェーブの登録商標です。

CHAPTER 1
フィジカルアセスメントに共通する技術

フィジカルアセスメントに共通する技術は健康状態を査定するために必要な技術です。診察する場面すべてで用いられます。

● 面　接
● 身体診察
　　視診
　　触診
　　打診
　　聴診

CHAPTER 1 フィジカルアセスメントに共通する技術

面接

面接とは、患者が今、抱えている症状を聴き、その情報とあわせて現病歴や既往歴など身体的な情報を聴き取るものです。同時に、心理的・社会的な内容についても、患者や家族から話を聴きます。

面接で得られた主観的情報と、診察で得られた客観的情報を統合し、患者の身体健康状態の評価を行います。

面接を実施する際の流れ

1. 必要時、事前にチェックリスト(p21参照)に記入してもらう
2. 入室し、挨拶を行う。看護師が自己紹介する
3. 患者本人であることを確認する(名乗っていただく)
4. 面接の目的を説明し、面接をすることの了承を得る
5. 患者が安楽な姿勢をとれるよう配慮する。看護師も着座する
6. 面接を実施する
7. 面接を終了し、挨拶をして、記録を行う

フィジカルアセスメントに共通する技術

面接の準備

1 相手を尊重し、ありのままをとらえる心の準備をする

面接では、年齢、性別、社会的・文化的背景、人種、健康状態が異なる様々な人と接します。個人的価値観、憶測、先入観は相手のとらえ方や自分の態度に影響するため、相手に敬意を払い、ありのままの患者をとらえるよう心がけます。

2 チャートやチェックリストに目を通す

必要時、事前にチェックリストを記入してもらいます。面接の前にチャート（再入院の場合）やチェックリストを読むことで、情報収集の方向性をつかむことができます。

3 面接の目的を明確にする

面接の目的には以下のようなものがあります。
①人間関係を良好にする
②患者より必要な情報を聞きだす
③患者への説明や指導を行う

POINT
外来受診における問診では、現在の健康状態を抽出することが中心となりますが、入院時の問診では、現在の健康問題を把握するだけでなく、過去の健康問題や生活環境、日常生活の過ごし方など、幅広い情報を得るために面接します。

4 看護の専門職者としての身だしなみと態度でのぞむ

看護師が患者を注意深く観察すると同様に、患者も看護師をよく見ています。態度や身振り、アイコンタクト、声の調子に、患者に対する興味、関心、受容、理解の程度が表れることを意識して、身だしなみを整え、真摯な態度で面接にのぞみます（次頁　CHECK! 参照）。

5 プライバシーを保ち、静かで快適な環境を整える

個室やカーテンで仕切るなど、患者が落ち着いて座って話ができる環境を準備します。患者と同じ目の高さとなるように座り、また座る位置にも留意します。

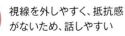

○ 視線を外しやすく、抵抗感がないため、話しやすい

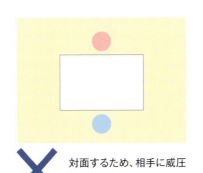
× 対面するため、相手に威圧感を与える

× 横顔しか見えず、親密な関係を形成しにくい

CHAPTER 1

CHECK! フィジカルアセスメント実施時の留意点

面接や診察など、フィジカルアセスメントを実施する際は、室温、明るさ（自然光）、防音などに留意し、環境を整えます。

患者に服を脱いでもらったり、触診したりする際は、必ず事前に説明して了承を得、露出が最小限になるよう非診察部位をバスタオルで覆うなどの配慮をします。第三者に情報が漏れないよう、話す声の大きさに配慮することも必要です。

患者のプライバシーに配慮すると同時に、看護師自身の身だしなみに気をつけ、患者と円滑なコミュニケーションをとりながら進めます。

化粧・におい
- 派手な化粧やアクセサリーは避けます。特に香料の強い化粧品や香水は控えます。
- 不快な口臭・体臭がないか、気をつけます。
- まつげエクステンションやカラーコンタクトは避けます。

髪型
- 清潔感のある髪型を心がけ、長い場合はきちんとまとめます。

白衣
- 清潔な白衣を着用し、ボタンをきちんとかけます。
- 名札をつけます。

聴診器
- 聴診器は首にかけずに、ポケットにきちんとしまいます。

手・爪
- 爪を短く整え、マニキュアは塗りません。
- 実施前・後は手洗いを行います。
- 実施前に、手を温めておきます。

全身
- 清潔感があり、さわやかな印象となるよう配慮します。

履物
- サンダルは避け、かかとのある動きやすい靴を着用します。

フィジカルアセスメントに共通する技術

入室から面接開始まで 1-1

面接は、入室する時点から、すでに開始されています。入室時から患者の全身状態を観察し、自己紹介・患者確認をし、面接の目的を説明します。その後、適切な位置や高さとなるよう着座します。

CHAPTER 1 面接

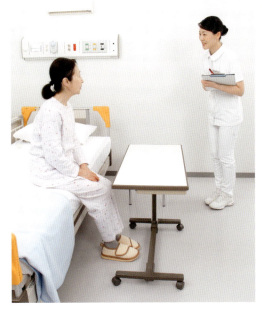

❶ 入室時に患者の様子、呼吸状態、体格や着衣の状態など、全身状態を観察します。

POINT
入室時の観察
- 表情や動作は？
- 体格や服装は？
- 呼吸状態は？

❷ 挨拶・自己紹介を行います。患者本人であることを確認し、面接を行う目的、所要時間を話して、了承を得ます。
適切な位置に着座し、患者が安楽な姿勢で面接にのぞめるよう配慮します。

POINT
椅子の配置
患者と看護師が座る位置関係は重要です。以下の点に注意して、椅子を配置します（p15参照）。
- 患者の表情が見やすい配置にします。
- 近づきすぎず、威圧感を抱かせない距離をとります。
- 視線を外しやすい角度に配置します。

CHAPTER 1

面接の実施

面接では主訴・現病歴、患者自身の病気についての考え、診察への期待感、既往歴、生活歴・家族歴などを聴いていきます。

主訴・現病歴はできるだけ患者主体に話してもらい、適宜質問をはさんで、大まかなストーリーをつかみます。

面接で聴く内容

■ **主訴**（来院・入院のきっかけとなる主な症状・訴え）
■ **現病歴**（今回来院・入院に至るまでの病状や対処の経過）

症状に関する7項目を把握します。

1	位置	症状の起こっている身体部位はどこか？
2	質	症状の性状は？ →例えば「お腹が痛い」場合、どのような性質の痛みか？
3	量	症状の強さ、大きさは？ →例えば「お腹が痛い」場合、どのぐらい痛いのか？
4	時間的経過	症状が起こり始めたのはいつか？どのように推移したのか？
5	状況	症状がどのような状況で起きたのか？その時の状態は？
6	寛解・増悪因子	症状の軽減や悪化に関わる因子は？
7	随伴症状	主訴に随伴する症状は？ →例えば腹痛の際、悪心・嘔吐・下痢を伴うなど

■ **既往歴**
（これまでにかかった病気やけが、その治療内容）
- 今までかかった病気やけが
- 入院・手術・輸血歴
- 薬剤の使用歴（薬品名、使用状況）
- アレルギー歴（アレルギーの有無、症状、アレルゲン）
- 月経・妊娠・出産歴など

■ **患者背景**（プロフィール）
■ **生活歴**
（生育歴、患者の生活習慣や日常生活の過ごし方、周囲の生活環境や家族のサポート状況など）
■ **家族歴**（家族の健康状況）
- 嗜好（喫煙・飲酒など）
- 運動状況
- 生育歴
- 仕事内容と職場環境
- ストレス状況とストレス発散方法
- 海外渡航歴
- 家族構成と健康状態

■ **解釈モデル**
（その人が病気の原因・経過、治療や検査などをどのように理解しているか、患者側と医療側の解釈モデルが一致していることが好ましい）

患者自身に、自分の言葉で自分の病気についての考えを表現してもらい、診察に対する期待感について聴いていきます。

フィジカルアセスメントに共通する技術

面接を行う際の留意点　1-2

質問法の種類		
質問法	内容	例
開放型質問 open-ended question	● 患者が自由に話すことができる質問法 ● 1つの質問で様々な情報が得られ、患者の満足感にもつながるが、話がまとまらず間延びしてしまうことがある ● 要約をはさむなど適宜工夫が必要	「今日はどうされましたか？」
閉鎖型質問 closed question	● 患者が「はい」「いいえ」で答えられる質問法 ● 多用すると、必要事項だけを聴かれていると感じやすい ● open-ended questionだけでは足りない情報を補充する役割がある	「食欲はありますか？」 「今朝、薬は飲みましたか？」

非言語的コミュニケーション	
表情	● 表情から言葉に表れない感情や心理的状態を察する
視線	● 文化によっても様々であるが、視線をそらす場合は不信や不安を抱いていることがある
あいづち、うなずき	● 通常は共感や支持を表す ● 高齢者などでは話がよく聴こえていなかったり、理解できない場合でも、何となくうなずいてしまう場合があるため注意が必要
身体の動き	● 腕組み、びんぼうゆすり、咳払いなど、身体の動きで不快や不安を表す場合がある

面接の基本となる技法	
傾聴	● 相手の話を遮らず、肯定的関心をもって耳を傾けて聴く ● 話を否定しないでありのままを受け入れる。批判や反論をしない ● 自分の考えを押しつけない ● つらい思いを話す時には、そのつらさを疑似体験する気持ちで聴く
うながし	● 相手が自然に話を続けられるように、適宜うながす ● あいづち、うなずき、反復（相手の言葉で大事な部分を繰り返す）、明確化（相手が話した言葉を違う言葉で明確にする）を行う
共感	● 患者の気持ちと一体化していることを、態度や言葉で伝える ● あいづち、明確化、感情の反映（患者の表情から痛そうだと感じたら「つらそうですね」など患者の思いを代わって伝える）を行う
尊重	● 敬意を示す（「この状態でここまでよく頑張ってこられましたね」などの声かけをする）

避けるべき質問法	
質問の仕方	× 同時に2つ以上の質問をする × より多くの情報を得ようとして、質問をしすぎる × 繰り返して同じ質問をする × 曖昧な言葉で話を濁してそのままにする × 専門用語を多用する × 社会的偏見や差別を示す質問をする × 答えを自分の都合のいいように誘導する

CHAPTER 1

面接記録の記入例

【主訴】
「食直後の腹痛」「発熱と食欲不振」「労作時の胸痛」「右膝関節痛と腫れ」「手のしびれ」「食事が飲み込みにくい」など

【患者の背景】
氏名：○○氏
年齢：50歳　生年月日：○年○月○日
性別：男性
職業：不動産会社社長（5〜6棟の学生向けアパート、100台収容可能な駐車場も経営）
家族構成：妻と娘2人（17歳、20歳）は健在（※家族構成と家族歴は図式にまとめて記入してもよい）。
趣味：釣り、野菜づくり
経済状況：医療費は国民健康保険（3割負担）、妻は介護ヘルパーとして働いている。娘は大学生と高校生で自宅から通学しているが、学費はかかる。アパート、駐車場を経営しており、妻も働いているため、収入は保証されている。

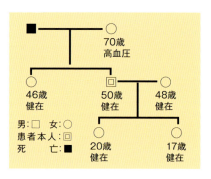

【現病歴】
1年前から食後に胃がもたれる感じがあった。2014年8月頃より食欲不振や、食後の胃痛・悪心・胃部不快感が持続するため、9月10日○○病院の外来を受診。胃ファイバー検査を実施した結果、初期の胃癌が発見され、9月15日入院となった。

【既往歴】
30歳　虫垂炎のため虫垂切除術を受けた
45歳　高血圧のため降圧剤を内服し始め、現在も内服中（アダラート1錠／日）

【生活歴】
20年前に不動産会社を設立して社長となる（従業員3人）。不動産会社およびアパート、駐車場を経営している。水曜日が定休日だが、物件の査定などで休めないこともある。
自宅から徒歩20分の店舗に毎朝9時出勤、夜7時まで勤務している。妻と子どもの4人暮らしである。朝食は朝6時にパン、サラダ、コーヒーを食べる。昼食は不規則で、ラーメンや丼物が多い。夕食は夜8時頃に妻と晩酌（ビール大瓶1本）をしながら一緒に食べる。休日は、趣味の釣りや野菜づくりをして過ごすことが多い。タバコは20本／日、家族からは禁煙するよう言われている。

フィジカルチェックリストの一例（入院患者用）

　　　　　　　　　　　　　　　　　　　　　　　　　　　　　　　　年　　月　　日

お名前　_____　　　　性別　女・男　　年齢

1. どのような症状で来院されましたか
   いつ頃からどんな症状があるのかお書きください
   (　　　　　　　　　　　　　　　　　　　　　　　　　　　　　　　)
   今回の入院について医師から受けた説明はわかりましたか　□はい　□いいえ
   説明で不明な点やもっとたずねたいことはありますか
   □はい (　　　　　　　　　　　　　　　　　　　　　　) □いいえ

2. 現在または以前に、通院や入院をしたことがありますか　□はい　□いいえ

年齢	病名	年齢	病名
	（通院・入院）		（通院・入院）
	（通院・入院）		（通院・入院）

3. 今までに大きな病気にかかったことがありますか　□はい　□いいえ
   □がん　□脳卒中　□高血圧　□糖尿病　□高脂血症　□心臓病　□腎臓病　□肝臓病
   □胃腸の病気　□肺・気管支の病気　□眼の病気　□足腰の病気　□その他 (　　　　　)

4. 今まで手術を受けたことがありますか
   □はい (病名　　　　　　　　　　　　　　年齢　　　　) □いいえ

5. 現在、ほかの病気で薬を使用していますか　　□使用している　□使用していない
   お薬の内容がおわかりになればお書きください (　　　　　　　　　　　　　　)

6. 輸血を受けたことがありますか　□はい　□いいえ

7. アレルギー（花粉症・喘息・食物など）がありますか　□はい　□いいえ
   アレルギーのある方は何が原因でどのような症状が出たかお書きください
   原因　□薬 (　　　　　) □食物 (　　　　　　) □その他 (　　　　　)
   症状 (　　　　　　　　　　　　　　　　　　　　　　　　　　　　)

8. 嗜好品について
   喫煙　□吸っている、または吸っていた　　何歳から1日何本くらいですか (　　　　)
   飲酒　□飲む　　何をどのくらいの量ですか (　　　　　　　　　　　　)

9. 女性の方にお伺いします。現在、妊娠している、またはその可能性がありますか
   □はい　□いいえ

10. ご家族についてお伺いします
    ご家族の構成と年齢をお書きください
    ご家族で病気の方はいらっしゃいますか　□はい　□いいえ
    「はい」の方は、内容をお書きください
    (　　　　　　　　　　　　　　　　　　　　　　　　　　　　　　　)

CHAPTER 1 フィジカルアセスメントに共通する技術

身体診察

看護援助を実践するためには、その人にどのようなことが起こっているのか身体的・心理的・社会的情報を的確にとらえ、看護の専門知識に基づいてアセスメントを行い、必要な援助を検討していきます。

身体診察はほとんどの場合、視診→触診→打診→聴診と進めますが、腹部は触診による疼痛の増強や腸蠕動への影響を避けるため、視診→聴診→打診→触診と進めます。診察技術をマスターし、体表面から体内の臓器をイメージしつつ、正常な状態と比較しながら実施していきます。

診察の流れ

1 視診
身体を注意深くみて身体の形態、機能、徴候、左右対称性を観察します。

KEYWORD
視診で異常が感じられたら、触診・打診・聴診で確認

2 触診
直接、手や指で触れながら、皮膚や身体各部位の形態・機能をみていきます。

KEYWORD
浅い触診・深い触診

3 打診
身体の各部位を叩き、音を聴き、指で感じます。その音や振動から臓器内部の様子、大きさや位置をみます。

KEYWORD
鼓音・清音（共鳴音）・濁音

4 聴診
聴診器を用いて、体内の音を聴きます。

KEYWORD
チェストピース：
　膜面・ベル面

腹部の場合：視診→聴診→打診→触診

視 診

フィジカルアセスメントに共通する技術

身体を注意深くみて身体の形態、機能、徴候、左右対称性を観察します。臨床において看護師は、身体のケアを行う際、同時に視診を行っています。

視診でわかること

- **大きさ**：必要時、定規や角度計（ゴニオメーター）を用いる
- **形**：発疹・浮腫・陥没・隆起など
- **色**：肌色・紅色・赤色・蒼白・黄褐色・黄染
- **位置**：「第4肋間」「上腹部」など解剖学的名称を用いる
- **動き**：動作・歩行・反射など
- **分泌物**：滲出液・膿汁様など
- **匂い**：アンモニア臭・アルコール臭・アセトン臭など
- **精神状態**：落ち着きのなさなど

留意点

- なるべく自然光のもとで行います。必要時、照明を用います。
- 身体を露出するため、寒くないよう室温を調整します。
- 必要な部位はしっかりと露出すると同時に、カーテンやバスタオルを用いてプライバシーに配慮します。
- 視診により異常が感じられたら、触診、打診、聴診によって確認します。
- 触診、打診、聴診の際も継続して視診を行います。

胸部の視診（一例）

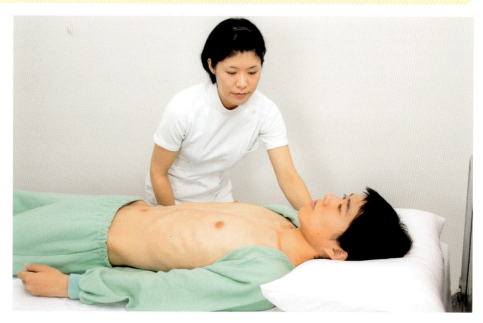

CHAPTER 1

触診

1-3

直接、手や指で触れながら、
皮膚や身体各部位の形態・機能をみていきます。

触診でわかること
- 大きさ・位置：3×1cm、右上腹部など
- 硬さ・弾性：硬い・弾力性あり
- 温度：冷感・熱感
- 運動状態：可動性あり・可動性なし

留意点
- 安楽な体位をとり、リラックスしてもらいます。
- 看護師は爪を短く切ります（皮膚を傷つけない。筋肉の緊張を避ける）。
- 看護師は、あらかじめ手を温めておきます。
- 腹壁の緊張をとるため、患者に膝を軽く曲げ、口で息をしてもらいます。
- 体表面から体内の臓器をイメージしつつ、正常な状態と比較しながら実施していきます。
- 痛みのある部位は最後に触診します。患者の表情・顔色・反応をみながら、痛みの状態とあわせて観察します。
- 浅い触診、深い触診を目的に応じて使い分けます。
- 温度をみる際は手背を用いることもあります。

2つの触診

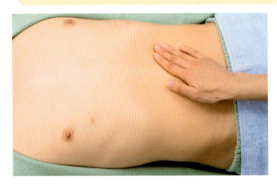

浅い触診
皮膚表面にやさしく触れます。
熱感・湿度・弾性・表在性の腫瘤の有無などをみます。

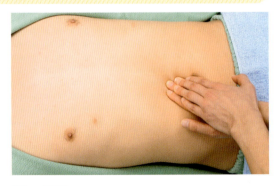

深い触診
手掌を用い、3～5cmの深さまで陥没させます。
両手を用いる場合は、片手を皮膚の上に力を抜いて置き、その第1関節上にもう片方の手の指腹を当て、両手を引くようにしながら圧迫します。
内部臓器の位置・腫大・圧痛・可動性・左右対称性などをみます。

フィジカルアセスメントに共通する技術

打 診

1-4

身体の各部位を叩き、音を聴き、指で感じます。
その音や振動から臓器内部の様子、大きさや位置をみます。

- 胸部や腹部の臓器の大きさ
- 密度、洞
- 臓器の圧痛

- 安楽な体位をとり、リラックスしてもらいます。
- 看護師は爪を短く切ります（皮膚を傷つけない。筋肉の緊張を避ける）。
- 看護師は、あらかじめ手を温めておきます。
- 体表面から体内の臓器をイメージしつつ、正常な状態と比較しながら実施します。

打診法

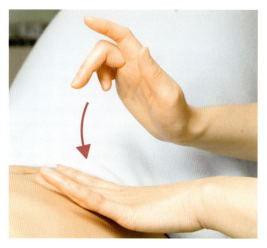

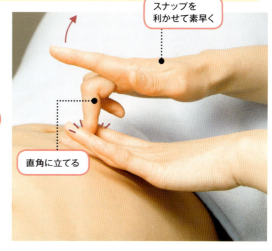

スナップを利かせて素早く

直角に立てる

左手中指を伸展させ、打診する部位の皮膚に密着させます。この時、中指以外の指は皮膚に触れないようにします。
右手（利き手）の中指を屈曲させます。

右手中指の指先で、左手中指の遠位指節間関節を叩き、直ちに離します。
叩く時は手首の力を抜いて、スナップを利かせて関節を打ちます。関節を叩く時点の速度が、いちばん速くなるようにします。

打診音

鼓音 太鼓様の響く音

胃や腸のガスにより生じます。

清音（共鳴音） 澄んだ音

肺など、ある程度空気を含んだ臓器で生じます。

濁音 重く響かない音

肝臓・筋肉など密度の高い臓器で生じます。

CHAPTER 1

聴診

聴診器を用いて、体内の音を聴きます。
呼吸・心臓の状態、血流や腸の状態などを観察することができます。

聴診でわかること
- 呼吸の状態、心臓の状態
- 血流の状態：雑音の有無
- 腸の状態：蠕動など

留意点
- 皮膚に触れる部分が冷たいと、不快感を与えたり、筋肉が震える音が聴こえてしまいます。チェストピースはあらかじめ、手で温めておきます。
- イヤーピースは、前のほうに角度が向くように耳孔に入れます。

聴診器の種類としくみ

聴診器はチェストピース、導管、イヤーピースからなり、イヤーピースを耳孔に入れ、チェストピースを皮膚に当てて音を聴くしくみになっています。
チェストピースに膜面とベル面がついているものを選択します。

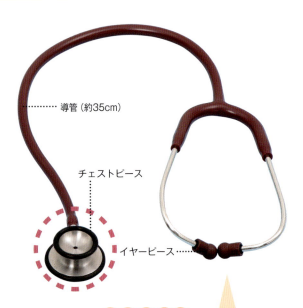

導管（約35cm）
チェストピース
イヤーピース

膜面

腸音・肺音など、高音域の音を聴く時に用います。

ベル面

血管音や血圧など、低音域の音を聴く時に用います。

POINT
イヤーピースに角度がついているのは、なぜ？
- 耳道は周囲の音がよく聴こえるよう、後ろ向きに開孔しています。そのため、耳道に挿入しやすいよう、イヤーピースにも角度がついています。

聴診法

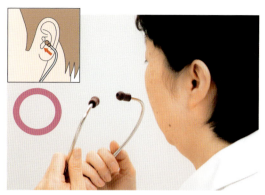

イヤーピースの角度が前のほうに向く（八の字）よう持ち、耳孔に入れます。
耳道は後ろ向きに開孔しているため、耳道に沿って挿入することができます。

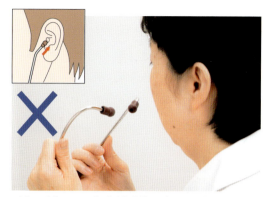

イヤーピースの角度が手前にくるよう持つのは、誤りです。耳道は後ろ向きに開孔しているため、耳道の角度とイヤーピースの角度が合いません。

膜面での聴診

チェストピースを利き手の第1～3指で軽く持ち、皮膚と隙間がないよう当てます。
少しでも隙間があくと、そこから音が入ってしまうため、皮膚にしっかりと押し当てます。

ベル面での聴診

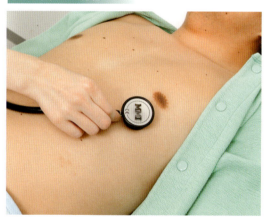

チェストピースの付け根を利き手の第1～3指で軽く持ち、皮膚と隙間がないよう当てます。ベル面は押しつけると、押された皮膚が膜を張った状態となり、膜面と同じになってしまいます。密着させる必要はありますが、圧迫しないようにします。

聴診音

聴診される音の性質は、次のように表現されます。

高い、低い 周波数	大、小 強さ	雑音 音の質	持続時間
ピューピュー、ゴーゴー	ドンドン、トントン	ヒューヒュー、ゴーゴー、サーサー、ドンドン	3秒間持続、1分間断続的

CHAPTER 2

フィジカルアセスメントの実際

生活行動の視点から
フィジカルアセスメントを行いましょう。
身体のどこをどのようにみるか、
診察のポイントは何か、所見の異常の判断、
フィジカルアセスメントの思考過程を
アセスメントの進め方に沿って学習できます。

- 一般状態と生命徴候
- 生命を維持する
- 見る・聴く・嗅ぐ・味わう・触れる・話す
- 身体を動かす
- 身体を守る
- 食べる・栄養をとりこむ
- 排泄する
- セクシャリティ
- 加齢による変化
- 生命の危機

CHAPTER 2 一般状態と生命徴候

フィジカルアセスメントの実際

通常、健康歴の聴取と並行して、表情、皮膚の色、体臭、体型、性発達、姿勢、歩き方、話し方、意識状態、衣服など一般状態の観察を行い、その人の大まかな全体像をとらえます。

さらに身長、体重、バイタルサイン（vital signs：生命徴候）を観察し、健康状態の変調を査定していきます。バイタルサインは一般に、体温・脈拍・呼吸・血圧・意識を指します。

観察項目

一般状態	表情、皮膚の色、体臭、体型、性発達、姿勢、歩き方、話し方、意識状態、衣服などを観察し、大まかな全体像をとらえます。

バイタルサイン

名前を呼んで測定の了承を得る　　反応が鈍い場合は、まず意識レベルを観察する

		KEYWORD
体温	身体の深部温度は測定しにくいため、口腔温・腋窩温・直腸温・鼓膜温で代用し、炎症や病態の変化を把握します。	正常体温：成人 36.0〜37.0℃未満（腋窩）
脈拍	体表近くの動脈に触れ、拍動を感じ取ります。心臓のポンプ機能によって、血液が身体の隅々まで行き渡っているかを把握します。	正常脈拍数：成人 60〜80 回/分
呼吸	換気が不十分であると低酸素症に、CO_2 の排出が十分にできないとアシドーシスになります。体内のガス交換の状態や呼吸機能を把握します。	正常呼吸数：成人 12〜18 回/分
血圧	血圧は左心室収縮力、血液循環量、末梢血管抵抗、血液の粘着性により影響を受けます。血液の循環動態を把握します。	収縮期血圧（最高血圧）拡張期血圧（最低血圧）
意識	呼びかけへの反応、会話の受け答えを観察し、問題がある場合はさらに詳細に意識レベルを観察します。	ジャパン・コーマ・スケール グラスゴー・コーマ・スケール（p54-55 参照）

― フィジカルアセスメントの実際

一般状態の観察

フィジカルアセスメントを始めるにあたって、表情、皮膚の色、体臭、体型、性発達、姿勢、歩き方、話し方、意識の状態、衣服など、患者の全身状態と異常の有無を観察し、大まかな全体像をとらえます。

- **意識の状態**
  問いかけに反応がない、話のつじつまが合わないなど

- **苦痛**
  痛みの訴え（痛みのある部分を押さえている）、呼吸困難、冷汗、落ち着きのない態度

- **性発達**
  年齢・性に適した発達状態（髭、乳房の発達など）

- **髪・爪・化粧**
  清潔にしているかなど

- **体格・体型**
  年齢・性に合った体格か
  やせ・肥満（BMIの算出）
  BMI＝体重[kg]÷（身長[m]）^{2}
  ＊18.5以上〜25未満：正常
  　18.5未満：やせ
  　25以上：肥満

- **顔色**
  蒼白、紅潮、黄染、暗赤色

- **皮膚**
  なめらか、発疹の有無、乾燥

- **表情**
  無表情、苦痛様、不安表情、口角や眼瞼の下垂、話し方

- **体臭・口臭**
  アルコール臭、アンモニア臭、その他異臭など

- **姿勢・バランス**
  手足の動きが悪い、手足の震え、歩行時のバランスが悪い、足を引きずるなど

- **衣服・履き物**
  季節に適した、清潔なものを着用しているかなど

POINT
■ 健康歴の聴取などと並行して行います。

CHAPTER 2

CHECK! 水分バランスをチェック!

尿量が少ない、浮腫がみられる、水分摂取量が少ないなどの症状がある場合は水分バランスのチェックを行います。また、心不全、腎臓機能の低下、脱水などの状態を把握するためにも必要です。身体に入ってくる水分(intake)と出ていく水分(output)のバランスがとれているかどうか、水分出納をチェックします。

水分の出納

intake		output	
食事	500 ml	尿	1,500 ml
飲水	1,500 ml	便	100 ml
代謝水	300 ml	不感蒸泄	700 ml
計	2,300 ml	計	2,300 ml

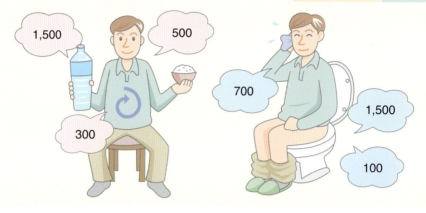

CHECK! メタボリックシンドロームに注意!

メタボリックシンドロームとは、内臓型肥満に高血圧・脂質異常・高血糖のうち2つ以上を合併した状態をいいます。動脈硬化やそれに伴う心筋梗塞、脳血管障害、糖尿病などの生活習慣病を発症するリスクが高まります。
40～74歳の男性の2人に1人、女性の5人に1人がメタボリックシンドロームか、その予備軍であると報告されています。
生活習慣病を予防するため、メタボリックシンドロームの段階で対処することが重要です。メタボリックシンドロームの診断には、肥満(内臓脂肪の蓄積)が必須条件です。腹囲は患者を立位にし、軽く息を吐いてもらい、臍の高さで測定します。それに加えて、血圧、血糖値、血清脂質のうち2つ以上が基準値を超えていることが条件となっています。
BMI25以上は肥満で、脂質異常、糖尿病、高血圧などの生活習慣病のリスクが高くなりますが、必ずしも脂肪の蓄積と相関しないため、メタボリックシンドロームの診断基準には含まれません。

メタボリックシンドロームの診断基準

腹囲 男性 ≧ 85cm
　　 女性 ≧ 90cm
＋
以下の3項目のうち、いずれか2項目以上があてはまる場合

①	血糖値	空腹時高血糖 ≧ 110mg/dL
②	血圧	収縮期(最大)血圧 ≧ 130mmHg かつ/または 拡張期(最小)血圧 ≧ 85mmHg
③	血清脂質	高トリグリセリド血症 ≧ 150mg/dL かつ/または 低HDLコレステロール血症 < 40mg/dL

日本内科学会雑誌 94(4)別冊. 2005をもとに作成

フィジカルアセスメントの実際

体温の観察

体内での熱の産生と体外への熱の放散は、視床下部にある体温調節中枢によって行われ、健康者ではほぼ一定（均衡）に保たれています。

熱の産生は、摂取された栄養素が体内で代謝され、種々の臓器組織のエネルギー生成に伴って行われます。一方、熱の放散は、血液によって熱が全身に配分され、主として皮膚を流れる時に行われます。

正常体温

体表面の温度（皮膚温）は外部環境によって左右されます。大動脈を流れる血液の温度＝深部温度（核心温）は、直腸、鼓膜、食道で測定されますが、これを実際に測定するのは難しいため、通常、口腔温、腋窩温、鼓膜温で代用されます。

- **年齢差**：乳幼児は37℃を超えることが多く、高齢者は35℃台が多くなります。基礎代謝、血液循環、皮膚の硬化による熱伝導不良、皮下脂肪の不足による密着度の違いに影響されます。
- **個人差**：自律神経系や内分泌機能の違いによります。
- **日　差**：午前2時から6時は低い、午後2時から6時は高い、差は1℃未満。1日を周期とした生体リズムによります。
- **行動差**：運動・食事・精神的興奮⇒上昇
　　　　　　入浴後・睡眠・飢餓⇒下降
- **その他**：月経〜排卵⇒低温
　　　　　　排卵〜月経開始⇒高温（差：0.33℃）

異常体温

- **高体温**：感染症、白血病、膠原病、細菌の毒素、白血球に由来する発熱因子、抗体、吸収蛋白、組織の分解産物などの発熱物質によって体温調節中枢が異常になった場合に起こります。
　発熱：37℃以上（平常体温より1℃以上）
　高熱：39℃以上
- **低体温**：35℃前後。老衰、全身衰弱、栄養失調、甲状腺機能低下、環境温度の低下などの場合に起こります。
- **熱　型**：疾患によって特有の発熱の経過を示します（p37参照）。
- **不明熱**：原因が特定されず、37℃台の微熱が持続します。感染（肺炎、中耳炎、扁桃腺炎、尿路感染など）・結核・自己免疫疾患などの可能性が高くなります。

POINT
- 成人の正常体温は、腋窩で36〜37℃未満です。腋窩の最深部で測定します。

CHAPTER 2

STUDY　体温調節の機構と体温の産生・放散

通常、健康者の体温は、ある一定の範囲に保たれています。これは、大脳視床下部にある体温調節中枢と温度受容器が、熱の産生と放散をコントロールしているからです。

熱産生

以下の要因で、体内に熱を産み出します。
①基礎代謝
②身体活動
③食事誘発性熱産生反応
　（摂取された栄養素が体内で代謝され、種々の臓器組織のエネルギー生成に伴って生じる）
④甲状腺ホルモンによる新陳代謝やカテコールアミン、黄体ホルモンなどの各種ホルモンの影響
⑤体温上昇による熱産生反応　など

熱放散

以下のような方法で、体内から熱を放出します。
①伝導
②対流
③輻射
④蒸発　など

POINT
- 伝導、対流、輻射＝皮膚表面の温度と対外環境の温度差によって起こります。
- 蒸発＝不感蒸散と発汗によって起こります。

体熱の産生量と放散量（1日を2,700kcalとした場合）

(Rubner)

産生	kcal	放散	kcal
骨格筋	1,570	輻射	1,181
呼吸筋	240	伝導と対流	833
肝臓	600	蒸発	558
心臓	110	食物を温める	42
腎臓	120	吸気を温める	35
そのほか	60	そのほか	―
		運動（仕事）	51
計	2,700	計	2,700

中野昭一：図解　生理学．医学書院，p272，1981より引用

体温計の種類としくみ

電子体温計　感知した温度を電気信号に変える素子を用いて表示します。実測式と予測式があります。

耳式体温計　耳の鼓膜とその周辺部から放射されている赤外線を感知し、体温として表示します。適切に使用しないと測定値にバラツキが出ます。

フィジカルアセスメントの実際

体温の測定（腋窩）

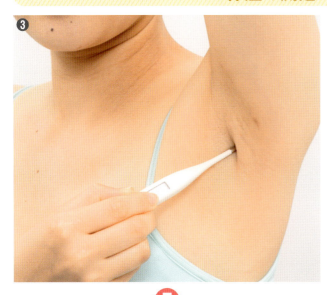

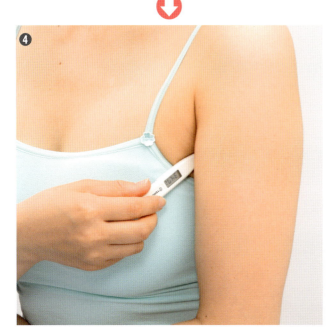

❶ 必要物品（体温計・アルコール綿）を準備し、体温計の破損や故障がないことを確認します。

❷ 患者に説明し、測定前は腋窩を閉じてしばらく安静にしてもらいます。腋窩に汗をかいている場合はよく拭き取ります。水分が付着していると、気化熱により正確に測定できなくなります。

❸ 体温計を腋窩の最深部に向け、前下方から後上方へと挿入します。腋窩中央付近には、腋窩動脈が走行しているため、動脈温に近い値を測定できます。
麻痺がある場合、麻痺側は健側より血液循環が悪く、体温が低く測定されるため、健側で測定します。
なお、側臥位では上側の腋窩で測定します。これは下側が圧迫されることにより圧反射が起こり、下側の血管が収縮し、体温が低く測定されるためです。

❹ 測定中は腋窩を密着させます。やせ気味の場合は、体温計と皮膚が密着しているかを確認し、腋窩を押さえても密着しない場合には、頸部や鼠径部で測定したり、耳式体温計を用います。

❺ 実測式の場合は10分、予測式の場合は機種の測定時間で測定します。

❻ 測定後、測定値を記録し（例：BT=36.5℃）、アルコール綿で体温計を清拭して収納します。

誤った測定

体温計を水平や下向きに挿入した場合、先端のセンサー部分が腋窩動脈より遠くなり、正しい値が測定できません。

CHAPTER 2

腋窩以外での体温の測定		
測定部位	方法	特徴
口腔	● 舌小帯を避け、正中から30〜60度の角度で舌下に挿入し、口を閉じてもらう。	測定前は飲食や会話を避ける。
直腸	● 先端から5〜6cmに潤滑油(オリーブ油など)をつけ、口呼吸をしてもらいながら5〜6cm挿入(小児は2〜3cm挿入)し、そのまま保持する。	粘膜に直接挿入するため、傷つけやすく不快感も強い。特別な場合にのみ行う。
鼓膜(外耳道)	● 外耳道をまっすぐにするために、耳介を斜め上に引くようにして挿入する。	測定時間は数秒と短く、安全で測定時の体位を問わない利点がある。挿入の位置・深さによって測定値が変わることがある。

＊ 測定部位による体温の差：直腸温＞鼓膜温＞口腔温＞腋窩温

STUDY　腋窩皮膚温の分布

腋窩は腋窩動脈が体表近くに位置しています。
腋窩の皮膚温は、筋肉で囲まれた中央部(最深部)が最も高く、ここに体温計の先端がくるように挿入します。
腋窩の正常体温は36〜37℃未満ですが、腋窩皮膚温は30〜33℃です。これは腋窩を閉じ密閉状態で体温測定を行うため、体内の温度が伝わり、皮膚表面からの熱の放散が防がれ、核心温に近い温度が測定されるためです。

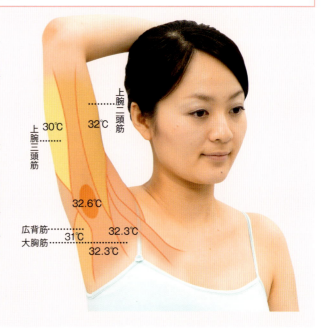

阿部正和：体温．p74
(阿部正和他編著：バイタルサイン．医学書院, 1980)より引用

CHECK! 主な熱型と解熱の型

病態によって示される特有の発熱経過を熱型といい、平常体温に戻ることを解熱といいます。
特有の熱型や解熱の型を知ることは、疾病の原因や経過を把握する指標となります。

熱型

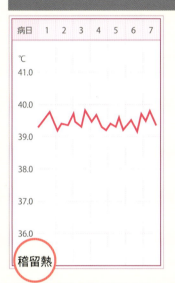

稽留熱

1℃以内の日内変動が続きます。肺炎や腸チフスでみられます。

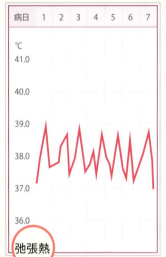

弛張熱

1℃以上の日内変動が続きます。敗血症や結核でみられます。

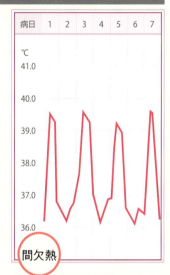

間欠熱

周期的に高熱と平熱を繰り返します。マラリアや回帰熱でみられます。

解熱の型

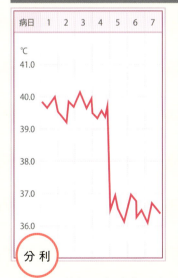

分利

発汗があり、数時間以内に解熱します。

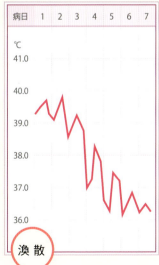

渙散

数日間かかって徐々に解熱します。

脈拍の観察

体表近くの動脈に触れて感じる拍動が脈拍です。心臓の収縮によって血液が血管に流れ、拡張した血管壁が弾性によって拍動し、それを脈拍として観察することができます。心臓の収縮期に一致して周期的な膨隆拡張が起き、通常、脈拍数は心臓の収縮・拍動数と一致しています。

脈拍測定時は、意識があるか、皮膚に触れて冷たいか熱いか、呼吸は正常か、唇の色にチアノーゼがみられないかもあわせて観察します。

脈拍数

- 年齢：新生児　120～140回/分
  乳幼児　80～120回/分
  成人　　60～80回/分
  高齢者　60～70回/分
- 性別：男性＜女性
- 増加：運動後、食事後、夏季、入浴時、精神的興奮、発熱、貧血、甲状腺機能亢進など
- 減少：甲状腺機能低下、運動量の多い人、β遮断薬など

＊ 頻脈＝100回/分以上
　 徐脈＝60回/分以下（高齢者は50回/分未満）

脈の大きさと緊張

脈の大きさと緊張は大脈、小脈、硬脈、柔脈と分類されますが、看護師が実際に感じ取って判断するには、かなりの熟練を要します。

- 大脈：大きく触れる＝心拍出量が多い、大動脈閉鎖不全、甲状腺機能亢進
- 小脈：小さく触れる＝心拍出量が少ない、大動脈弁狭窄症、急性心筋梗塞
- 硬脈：硬く触れる＝高血圧や動脈硬化で血管の弾性が低下
- 柔脈：柔らかく触れる＝低血圧

＊ ベッドサイドでは、脈の触れ方の表現として「緊張が良好」「微弱」などと表現します。

フィジカルアセスメントの実際

吸気時に脈拍数が増え、呼気時に減る呼吸性の不整脈の場合は生理的なものですが、リズムが不規則(心房細動)、脈拍が脱落する(期外収縮)などの異常がある場合は、心臓の聴診や心電図で精査します。

脈のリズム

- 整脈：規則正しいリズム
- リズム不整
  ① 呼吸性不整脈：吸気時に脈が速くなり、呼気時に遅くなる
    → 吸気時に交感神経活動が亢進し、副交感神経の活動が抑制されることが原因。若年者にみられることが多く、病理的な意味はない。
  ② 脈拍欠損(結滞)：脈が抜ける
    → 心房内に生じた異所性興奮によって心房が通常より早く収縮すると、血液が十分に溜まっていない状態で拍出されるため、血管を伝わる波動が弱くなり、脈拍が抜けたように感じる(心房期外収縮)。
    (心臓の働きについてはp61参照)
  ③ 2段脈：2段のリズムとなる
    → 心室内に生じた異所性興奮によって心室が通常より早く収縮したため、心臓からの刺激に応じられず、次の収縮が再開するまでの間隔が正常の場合の2倍となる(心室期外収縮)。
  ④ 絶対性不整脈：リズム、大きさが不規則
    → 不規則な心臓の収縮による(心房細動)

POINT
- ②〜④の不整が観察される場合、心臓に何らかの異常があると推測されるため、脈拍と心音を同時に測定したり、心電図検査を行う。

脈拍の測定

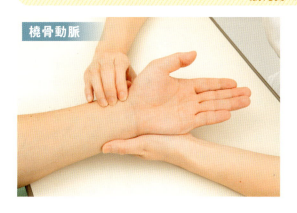

橈骨動脈

通常は、橈骨動脈で1分間の脈拍数を測定します。橈骨動脈で触知できない場合、上腕動脈、総頸動脈、浅側頭動脈、大腿動脈、足背動脈などで測定します(動脈の触診はp68〜72参照)。

左手で患者の手を下から支え、右手の示指・中指・環指を橈骨動脈に沿って直角に置きます。指腹が動脈の真上にくるように当てて測定します。

CHAPTER 2

誤った測定

❶ 指の第1関節付近は、触覚が鈍いため触知しにくくなります。また、示指→中指→環指と脈が伝わる速度をみるため、3本の指を使います。

❷ 母指による触診は、測定者自身の脈を誤ってとらえることがあります。

❸ 橈骨動脈の走行と逆側なので、脈拍の触知ができません。

STUDY 脈拍と体温、血圧の関係

大脳視床下部にある体温調節中枢には、体温を一定に保つ働きがあり、通常37℃前後に保たれています。これをセットポイントといいます。感染や炎症などが起こると、細菌やウイルスの毒素、白血球に由来する発熱因子、抗体、吸収タンパク、組織の分解産物などの発熱物質によって体温調節機能が異常をきたし、セットポイントが上昇します。上昇したセットポイントに合わせようと体温を上げるために、次のようなことが起こります。

　①血管を収縮し血流を減少させて、体内の熱を外に逃がさないようにする
　②骨格筋を収縮させ、震えを起こし、熱を産生する

発熱によって代謝が亢進（体温が1℃上昇すると、代謝が13％亢進）するため、体内の組織や細胞への栄養・酸素を素早く運搬しようと脈拍数が増加します（体温1℃上昇で、8回/分増加）。

発熱の原因が取り除かれると、セットポイントは元の位置に戻るため、体温を下げようとして、次のようなことが起こります。

　①血管を拡張させ、血流を促し体内の熱を外に逃がそうとする（血圧が下がる）
　②発汗によって体内の熱を外に逃がす
　③骨格筋を弛緩させ、熱の産生を抑える

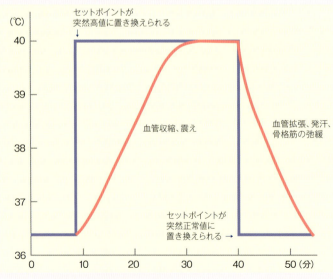

阿部正和：看護生理学．生理学よりみた基礎看護．メヂカルフレンド社，p19, 1985をもとに作成

呼吸の観察 2-1

呼吸とは、外気から体内に酸素（O_2）を取り込み、体内で燃焼した結果生じる二酸化炭素（CO_2）を体外に排出することをいいます。呼吸は、橋・延髄の呼吸調節中枢によってコントロールされ、肋間筋と横隔膜によって営まれます。

換気が不十分であると、肺胞の毛細血管を介して血中に入る酸素量が減り、低酸素症状態となります。

また、呼気によるCO_2の排出が十分にできないと、血液内にCO_2がたまりアシドーシス（動脈血のpHが7.4以下）となります。

呼吸数

- 正常：規則的＝成人　12〜18回/分
  　　　　　　　　小児　20〜30回/分
  　　　　　　　　新生児 30〜50回/分
- 異常：頻呼吸＝20回以上/分（発熱、肺炎、呼吸不全、代謝性・呼吸性アルカローシス）
- 異常：徐呼吸＝12回以下/分（脳圧亢進、麻酔・睡眠薬投与時）
- 異常：無呼吸＝安静呼気で一時的に停止（睡眠時無呼吸症候群）

呼吸の型・リズム

- 呼吸の型
  ・胸式呼吸：肋骨の挙上と胸郭の拡大による呼吸
  ・腹式呼吸：横隔膜の収縮と弛緩による呼吸
  ・胸腹式呼吸：胸式と腹式を併用した呼吸。子供や男性は腹式呼吸が多く、女性は胸式か胸腹式呼吸が多い
- 正常の呼息時間：吸息時間＝2：1
- リズム異常：
  チェーンストークス呼吸＝数十秒の無呼吸のあと徐々に呼吸が深くなり、過呼吸から浅い呼吸を経て無呼吸になるというサイクルを繰り返します（脳出血、脳腫瘍、尿毒症、重症心不全）
- リズム異常：
  ビオー呼吸＝呼吸が突然中断して無呼吸となったり、元に戻ったり不規則にみられます（脳腫瘍、脳膜炎、脳外傷）
- リズム異常：
  クスマウル呼吸＝深くゆっくりした呼吸が規則的にみられます（糖尿病性昏睡）

CHAPTER 2

そのほかの異常呼吸

換気が十分に行えず、低酸素症となった場合、補助呼吸筋（胸鎖乳突筋・斜角筋）を使って、肩で息をする呼吸となります。

- **鼻翼呼吸**：気道を少しでも広げようと鼻翼を張り鼻孔を広げ、喉頭を下に大きく動かすように呼吸します（重篤な呼吸不全）
- **下顎呼吸**：口や下顎を喘ぐようにパクパクして必死に気道を広げ、空気を体内に取り入れようと呼吸します（死亡直前、重篤な呼吸不全）
- **陥没呼吸**：胸腔内が強い陰圧になるため、吸気時に胸壁（肋間や胸骨部）がへこみます

＊ **胸壁が未熟な新生児の呼吸障害**：特発性呼吸窮迫症候群（IRDS）

STUDY　呼吸のしくみ（呼吸中枢と呼吸調節）

呼吸のリズムは、脳の延髄にある呼吸中枢によって形成されます。呼吸中枢では大脳皮質、呼吸調節中枢（橋）、中枢性化学受容器（延髄）、末梢性化学受容器（大動脈弓・頸動脈）、肺伸展受容器（肺迷走神経）などから受けた信号を統合し、運動ニューロンを介して吸息筋（横隔膜・外肋間筋など）や呼息筋（内肋間筋など）に指令を出して、呼吸を調整します。

延髄が受ける主な信号	
大脳皮質	緊張や感情の変化などを感知し、信号を送ります。随意指令も送ります。
呼吸調節中枢	呼吸停止や抑制の信号を送ります。
中枢性化学受容器	延髄にあり、血中のpHの低下を感知し、信号を送ります。
末梢性化学受容器	大動脈と頸動脈血中の酸素濃度の低下を感知し、信号を送ります。
肺伸展受容器	肺の伸展と収縮によって興奮し、信号を送ります。

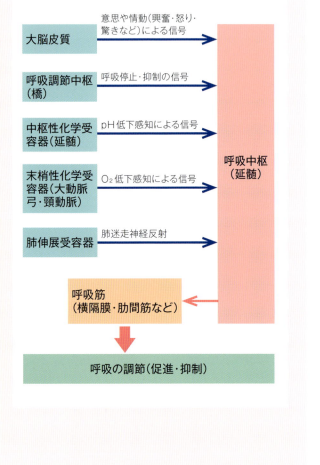

―― フィジカルアセスメントの実際

異常呼吸の種類としくみ　2-3

努力呼吸
補助呼吸筋を使った呼吸です。呼吸をするために、通常とは違った姿勢や動作となります。

口すぼめ呼吸
閉塞性換気障害がある場合は、呼気時に末梢気道の閉塞を防ぐため、口唇をすぼめゆっくり息を吐くようになります。

起座呼吸
呼吸が苦しく、楽に呼吸できるよう座位になる状態です。座位は、静脈血が心臓に戻る量が少ないため、肺うっ血が軽減され、横隔膜が下がり呼吸が楽になります。

チアノーゼ
血中の酸素飽和度が低下（80％以下）すると、口唇や爪の色が紫色になります。呼吸不全や心不全時にみられます。

CHAPTER 2　一般状態と生命徴候

起座呼吸

CHAPTER 2

呼吸の測定

❶ 必要物品(秒針付き時計、聴診器)を準備し、努力呼吸をしていないか、姿勢や動作を観察します。さらに、呼吸の深さ、リズムを観察します。

❷ 胸郭や腹部の動きから、呼吸数を1分間測定します。患者が測定されていることを意識しないように配慮し、通常は脈拍測定に引き続いて実施します。

❸ 呼吸音を聴診します。直接、皮膚に聴診器を当て、鎖骨上方から肺の上葉・中葉・下葉の順に、左右の呼吸音を比較しながら前胸部と背部を聴診します(呼吸音の聴診方法、呼吸音の異常については、p96〜101参照)。

❹ 測定後、患者の衣服を整え、測定値を記録します(例:R=18回/分)。

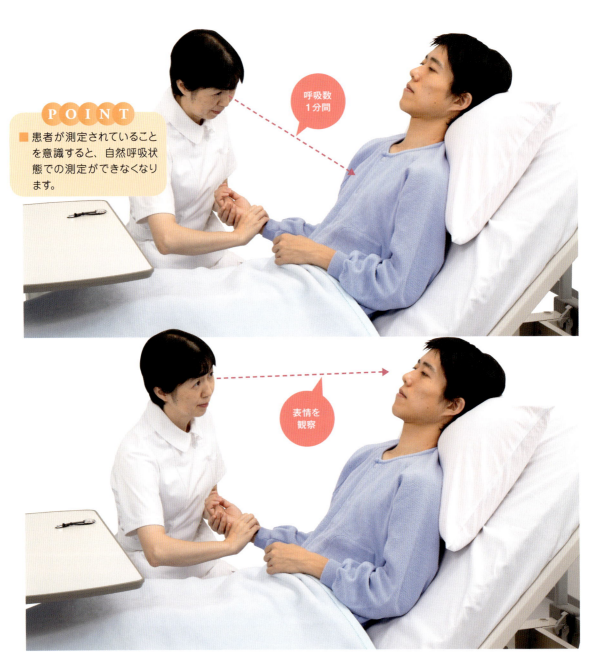

POINT
■ 患者が測定されていることを意識すると、自然呼吸状態での測定ができなくなります。

呼吸数 1分間

表情を観察

血圧の観察

血圧とは、心臓が全身に血液を送り出す時に動脈壁を押す圧力のことです。左心室の収縮によって生じる圧力が、大動脈を経て全身の動脈へと伝わり、これが血圧として測定されます。

血圧を構成する因子は心拍出量、末梢血管抵抗、血液循環量などです。心臓に近い動脈であること、測定のしやすさから、上腕動脈が用いられます。

収縮期血圧・拡張期血圧とコロトコフ音

血圧は、最高血圧と最低血圧を測定します。
収縮期血圧（最高血圧）は、心臓の収縮期に左心室の圧力により生じた最大圧力です。
拡張期血圧（最低血圧）は、心臓の拡張期に大動脈弁が閉鎖し、末梢の動脈が元の径に戻った際の最小圧力です。
聴診法による血圧測定は1905年、コロトコフが初めて行いました。聴診法では音の聴こえ始めが収縮期血圧、音が聴こえなくなる時が拡張期血圧です。血圧測定で聴かれる聴診音を「コロトコフ音」といいます。

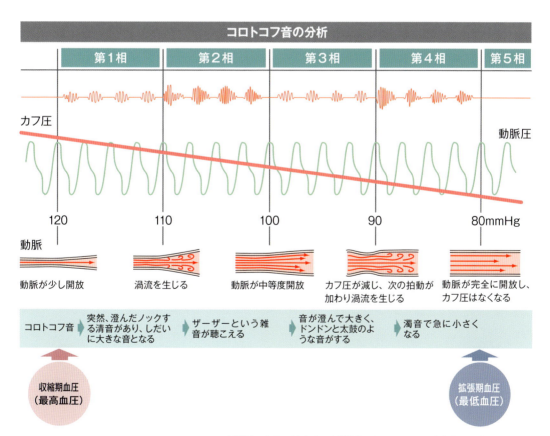

髙階經和：血圧．p60（阿部正和他編著：バイタルサイン．医学書院，1980）より一部改変

CHAPTER 2

STUDY 血圧と心拍出量、脈拍の関係

●血圧と心拍出量

血圧＝心拍出量×末梢血管抵抗

心拍出量＝1分間あたりに心臓から拍出される総血液量
末梢血管抵抗＝血管の内腔径、血液の粘性

血圧は、心拍出量が多いほど、あるいは末梢血管抵抗が大きいほど、強くなります。そのほか、血液循環量によっても大きさが決まります。

	増加要因	減少要因
心拍出量	● 心臓の収縮力が強まる ● 脈拍（心拍数）が増加する	● 心臓の収縮力が弱まる
末梢血管抵抗	● 動脈硬化によって血管壁が厚く硬くなる（血管が血流に合わせて広がることができなくなるため） ● 高血糖や高脂血症による血液の粘性	● 副交感神経の興奮やホルモンの影響などで血管が拡張する
血液循環量	● 腎不全などにより、水分を体外に出す働きが十分でなく、全身の血液量が増加する	● 大量出血や脱水など、循環血液量が低下する

●血圧と脈拍

脈拍は、心臓から離れた動脈になるほど弱くなるため、血圧が低下すると心臓から離れた動脈では、脈拍を触知できなくなる場合があります。このことを利用して、脈拍がどの動脈まで触れるかということから、収縮期血圧を推定することができます。

POINT

橈骨動脈まで触知　：約80mmHg以上
大腿動脈まで触知　：約70mmHg以上
総頸動脈まで触知　：約60mmHg以上

STUDY 血圧の変化とその調節（神経性調節と液性調節）

血圧や心房圧が変化すると、頸動脈・大動脈・腎臓の傍糸球体細胞にある圧受容器が感知し、元に戻すよう調節機構が働きます。調節機構には、神経性調節と液性調節があります。

①神経性調節
自律神経系の交感神経と副交感神経の働きで、血管を収縮・拡張して血圧を調節します。

②液性調節
様々なホルモンやオータコイド*の働きで血圧を調節します。

* 体内で産生され作用する生理活性物質で、ホルモンと神経伝達物質の中間的性質をもつ。ヒスタミン、セロトニンなど。

神経の働き	心拍数	心収縮力	血管	血圧
交感神経の興奮	上昇	増強	収縮	上昇
副交感神経の興奮	低下	低下	拡張	低下

	ホルモン・オータコイドの種類	分泌臓器・成分
血圧を上昇させる ホルモン・オータコイド	アンジオテシン	肝臓
	アルドステロン	副腎
	アドレナリン、ノルアドレナリン	副腎
	バゾプレッシン	下垂体後葉
	セロトニン	血小板
血圧を低下させる ホルモン・オータコイド	心房性ナトリウム、利尿ペプチド	心房筋
	ヒスタミン	肥満細胞

血圧の基準値

世界保健機関（WHO）、国際高血圧学会（ISH）では1999年より、血圧分類の基準を制定、その後、より健康を目指すべく改定がなされてきました。

正常高値血圧以上のすべての者は、生活習慣の修正が必要となります。疾病リスクの高い高値血圧者およびⅠ度高血圧者では生活習慣の修正を積極的に行い、必要に応じて降圧薬治療の開始が推奨されています。（孤立性）収縮期高血圧は、収縮期血圧だけが特に高いもので、動脈硬化の進んだ高齢者に多くみられます。

成人における血圧値の分類 (mmHg)：診察室血圧

	収縮期血圧（最高血圧）		拡張期血圧（最低血圧）
正常血圧	<120	かつ	<80
正常高値血圧	120〜129	かつ	<80
高値血圧	130〜139	かつ／または	80〜89
Ⅰ度高血圧	140〜159	かつ／または	90〜99
Ⅱ度高血圧	160〜179	かつ／または	100〜109
Ⅲ度高血圧	≧180	かつ／または	≧110
（孤立性）収縮期高血圧	≧140	かつ	<90

日本高血圧学会 高血圧治療ガイドライン作成委員会 編：高血圧治療ガイドライン2019．ライフサイエンス出版，2019，p18 より

血圧に影響を与える因子

- 体位：収縮期血圧は立位＜座位＜臥位の順に高くなり、拡張期血圧は立位＞座位＞臥位の順に低くなります。
  臥位から立位や座位に変えた直後は、心臓に戻る血液が減り、送血量が減少するため血圧は低くなります。
- 食事：食後にわずかに収縮期血圧が上昇します。
- 運動：心臓機能の促進により、収縮期血圧は上昇しますが、休息により十数分で戻ります。
- 精神的興奮：不安や興奮状態の時には交感神経が興奮し、血圧が上昇します。
- 飲酒・喫煙：アルコールの血管拡張作用によって低下します。喫煙は個人差があり、上昇または低下します。

血圧異常時の観察

- 血圧値の高低：体調の異常を示すサインと考え、以下の症状をあわせて観察します。
  ①血圧値が低い：ショック症状に注意します。
  　顔面蒼白、寒気（体温低下）、冷汗、しびれ感、口渇、嘔気、末梢動脈の虚脱、脈拍頻数、浅表促迫の呼吸、意識の低下
  ②血圧値が高い：脳血管疾患を引き起こす可能性があるため、注意が必要です。
  　頭痛、頭重感、眩暈（めまい）、悪心・嘔吐、視力障害、心悸亢進、脱力感

CHAPTER 2

血圧計の種類としくみ

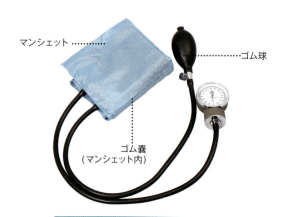

アネロイド血圧計

マンシェットの内圧変化を、スプリングを用いて測定します。コンパクトで携帯に便利です。

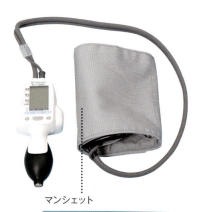

電子血圧計

血管音をマイクロホンで感知するものと、拍動に伴って発生する振動を感知するものがあります。家庭用として普及しています。

血圧の測定（アネロイド血圧計）

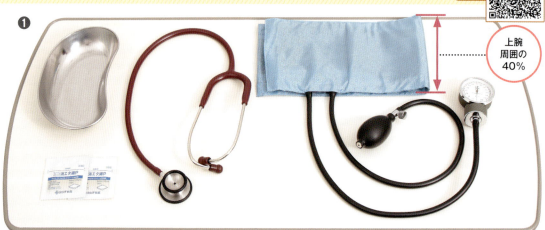

❶ 必要物品（血圧計・聴診器・アルコール綿）を準備します。

POINT
マンシェットの幅

- マンシェットの幅は上腕周囲の40％（12〜14cm幅）を用います。
- 幅が狭すぎると、血流を止めるため高い圧が必要になり、血圧が高く測定されます。
- 幅が広すぎると、低い圧で血流を止めるため、血圧が低く測定されます。

― フィジカルアセスメントの実際

❷ ゴム嚢、ゴム球、血圧計がしっかり接続していることを確認します。

❸ 血圧計の針が真下にきていることを確認します。

❹ マンシェットをたたみ、200mmHgまで加圧します。3分間そのままにして、針が2mmHg以上下降しないことを確認します。

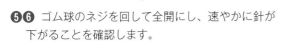

❺❻ ゴム球のネジを回して全開にし、速やかに針が下がることを確認します。

＊ なお、血圧計への負荷を考慮し、本方法で点検(❷〜❻)し、異常がないことを確認した後の日常点検では、簡易点検(150mmHgまで加圧し、10〜15秒間そのままにして針が2mmHg以上下降しない)を用いてもよい。

CHAPTER 2　一般状態と生命徴候

CHAPTER 2

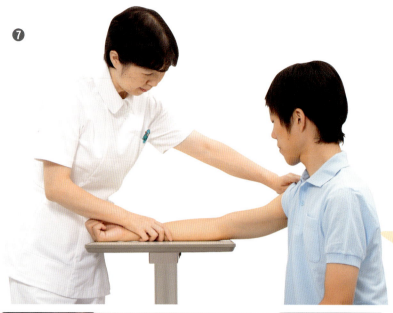

❼ 患者に血圧を測定することを伝え、了承を得ます。

上腕を圧迫しないよう、上着のそでをたくし上げます。患者を安楽な体位（仰臥位または座位）とします。

POINT
- マンシェットを巻く位置と心臓の高さを同じにします。静水力学的圧力により、腕の高さが心臓より高いと血圧は低くなり、低いと血圧は高くなります。

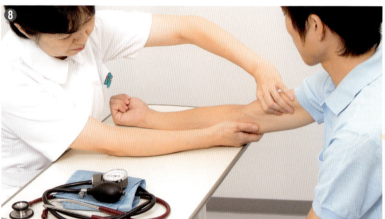

❽ 上腕動脈を触知して確認します。

POINT
- 上腕動脈は心臓に近いこと、測定しやすいことから、血圧測定に用いられます。
- 上腕動脈は上腕の内側、二頭筋走行の内側で触知できます。

指2本分のゆとり

❾❿⓫ マンシェットのゴム嚢の中央に、上腕動脈がくるように当てます。マンシェット下縁は肘部より3cm上になるようにし、指が2本入る程度に巻きます。緩すぎるとマンシェットの膨らみが均等でなくなり、血圧が高くなります。

フィジカルアセスメントの実際

⑫ 肘窩のやや内上側に指を当て、上腕動脈を触知し、その上に聴診器を当てます。

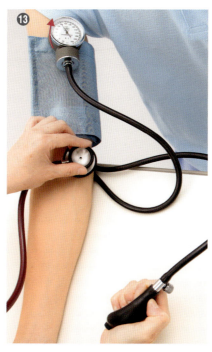

⑬ ゴム球を利き手に持ち、ゴム球のネジを閉じて、空気を送ります。その人の平常時の収縮期血圧値より20〜30mmHg高く加圧します。

> **POINT**
> **触診で確認する場合**
> 初めての測定や正常時の収縮期血圧値がわからない場合は、触診でおおよその収縮期血圧を知り、聴診法で行う場合の加圧の目安を確認します。

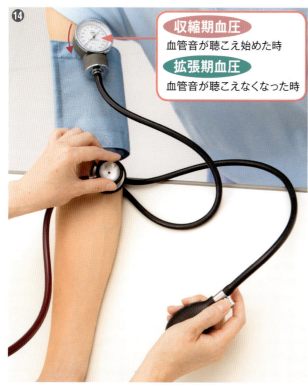

収縮期血圧 血管音が聴こえ始めた時
拡張期血圧 血管音が聴こえなくなった時

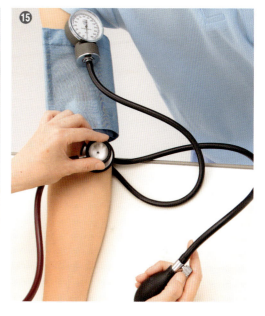

⑭⑮ ゴム球のネジを緩め、1拍動1目盛り(2mmHg)の速さで空気を抜いていきます。初めに血管音が聴こえた目盛り(収縮期血圧)を読み、さらに空気を抜き血管音が聴こえなくなった目盛りを読みます(拡張期血圧)。ゴム球のネジを全開に緩めて空気を抜き、マンシェットを外して患者の衣服を整えます。聴診器のイヤーピースと採音部はアルコール綿で拭き、片付けを行って測定値を記録します。

> **POINT**
> **血圧測定値の記録例**
> ■ BP=120〜78mmHgまたは、BP=120/78mmHg
> ■ 拡張期血圧が0mmHgまで聴こえた場合: BP=120〜0mmHg
> ■ 拡張期血圧が不明な場合: BP=120〜?mmHg
> ■ 触診法の場合: BP=120〜mmHg触診

CHAPTER 2 一般状態と生命徴候

CHAPTER 2

CHECK! ゴム球の持ち方——うっかり！

血圧計のゴム球は、母指・示指でネジを操作し、残り3指でゴム球を手掌に握り込むようにして持ちます。
ネジを回して開放する操作がしやすく、同時にゴム球をしっかりと圧迫することができます。

正しい持ち方

○

台に置かずに手に握りましょう！

手掌で台に押しつけてしまうと、ネジの操作ができません！

反対側から握り込むと、ネジの回転方向が逆になってしまいます！

CHECK! マンシェットの巻き方——うっかり！

マンシェットを巻く位置が低いと、腕とマンシェットの間に聴診器をはさむことになってしまいます。これでは圧が均等にかからず、正しい血圧値を測定できません。
マンシェット下縁が、肘部より3cmほど上になるように巻きます。

マンシェットに採音部をはさまない

COLUMN

電子血圧計を用いる場合の留意点

電子血圧計は、上腕や手首、指で測定するものがあります。家庭で気軽に測定でき、普及しています。測定値は、上腕で測定するタイプが最も誤差が少ないです。

電子血圧計を用いる場合の留意点は、基本的にアネロイド血圧計を用いる場合に準じます。以下は、電子血圧計使用時に特に留意する点です。

1. 電子血圧計は、脈の波動を感知して測定するため、血圧計は振動が少なく操作しやすい位置に安定させて置き、測定を開始します。測定中はマンシェットおよびゴムチューブへの振動は極力避けるようにします。
2. マンシェットの空気を完全に抜いてから、マンシェットに装着されているセンサー部分が上腕動脈の上に密着するように巻きます（巻く位置や緩さの目安は、アネロイド血圧計と同じです［p50参照］）。
3. 精密機械なので、破損しないようにていねいに扱い、落としたり濡らしたりしないようにします。

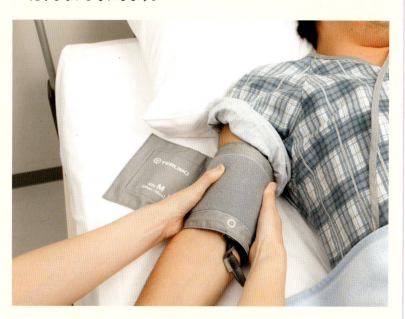

CHECK! マンシェットの構造

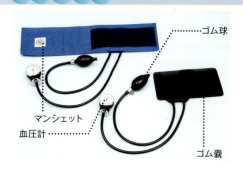

マンシェットは上腕を巻くための布で、なかにはゴム嚢と呼ばれるゴム製の袋が入っています。ゴム嚢には加圧するためのゴム球と血圧計がつながっています。

意識レベルの観察

名前を呼んだり、説明や質問をした際の患者の反応から意識状態を観察します。受け答えがスムーズで、発語に異常がないなら、大脳皮質の活動は高い水準にあるといえます。呼びかけに対する反応が鈍い場合には、さらに詳しい意識レベルの観察を行います。

意識レベルのスケールとして、開眼・発語・応答運動の3側面から評価するグラスゴー・コーマ・スケール（GCS）と、呼びかけや痛みなどの刺激に対する覚醒の程度から評価を行うジャパン・コーマ・スケール（JCS）が用いられています。

グラスゴー・コーマ・スケール（GCS）

GCSは、世界的に普及した評価法である。開眼、発語、応答運動の3つの側面から評価できるため、頭部外傷や脳血管障害などの急性期において用いられることが多い。

グラスゴー・コーマ・スケール（Glasgow coma scale:GCS）

開眼（E）

自発的にまたは普通の呼びかけで開眼する	4
強い呼びかけに開眼する	3
疼痛により開眼する	2
疼痛にもまったく開眼しない	1

最良言語反応（V）

見当識あり（日付や場所がいえる）	5
混乱した会話（会話は成立するが見当識が混乱）	4
混乱した言葉（発語はみられるが会話は成立しない）	3
理解不明の音声（発語にならない発声）	2
まったくない（発語がない）	1

最良運動反応（M）

命令に従う	6
疼痛部へ手をもってくる	5
疼痛部から逃避する	4
疼痛に異常屈曲（除皮質硬直）	3
疼痛に伸展する（除脳硬直）	2
疼痛にまったく反応しない	1

開眼・最良言語反応・最良運動反応の合計スコアで評価（正常では合計15点）
数字が小さいほど意識障害が重症

POINT
評価例
■ E4、V5、M5

フィジカルアセスメントの実際

ジャパン・コーマ・スケール(JCS)

JCSは、覚醒度に主眼を置いたスケールで評価基準がわかりやすいことから、日本で広く普及している。

ジャパン・コーマ・スケール(Japan coma scale:JCS)
Ⅰ 刺激しないでも覚醒している状態（1けたで表現）
1　だいたい意識清明だが、いまひとつはっきりしない 2　見当識障害がある（日付や場所を間違える） 3　自分の名前、生年月日が言えない
Ⅱ 刺激すると覚醒する状態——刺激をやめると眠り込む（2けたで表現）
10　普通の呼びかけで容易に開眼する。合目的な運動（例えば右手を握れ、離せ）をするし、言葉も出るが間違いが多い 20　大きな声、または体をゆすぶることにより開眼する。簡単な命令に応じる（例えば、離握手） 30　痛み刺激を加えつつ、呼びかけを繰り返すとかろうじて開眼する
Ⅲ 刺激しても覚醒しない状態（3けたで表現）
100　痛み刺激に対し、払いのけるような動作をする 200　痛み刺激で、少し手足を動かしたり、顔をしかめる 300　痛み刺激に反応しない

意識清明＝0　数字が大きいほど重症
R：restlessness（不穏状態）
I：incontinence（失禁）
A：akinetic mutism（無動性無言），apallic state（失外套症候群）

POINT
評価例
■ Ⅰ-3
■ Ⅱ-20RI

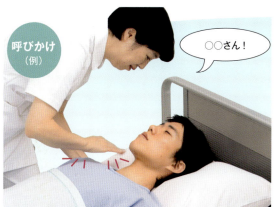

呼びかけ（例）
○○さん！

痛み刺激（例）
爪の付け根を圧迫します

POINT
■ 痛み刺激を用いる場合、相手の意識がなくても声をかけて行うなど配慮します。
■ 皮膚をつねると内出血しますので、爪の付け根を圧迫する方法をとります。

CHAPTER 2

一般状態と生命徴候：フィジカルアセスメントの内容と進め方

* 一般状態の観察は健康歴の聴取と並行して実施することが多い

問診

項目	内容
基礎情報	年齢・性別・既往歴・職業、家族構成と健康状態
健康歴	生活習慣・嗜好品、1日の過ごし方
日常生活動作	食事・排泄・入浴・歩行や動作の自立度、会話・聴力・視力など
社会的な役割、人との相互作用	家族構成、職業、地域での活動など
既往歴・現病歴	主訴、発病から現在に至るまでの経過

視診

項目	内容		
顔色・表情	顔面蒼白・チアノーゼ・顔面紅潮・黄疸・発疹・表情		
意識状態	問いかけへの反応、会話の理解力	身長・体重（BMI）	やせ・肥満
苦痛や不安症状	痛みのある部位を押さえる、呼吸困難、冷汗、不安な表情、落ち着きのない態度		
体臭・口臭	性発達（ひげ、乳房）		衣服・履物・髪・爪・化粧
姿勢・バランス	麻痺・不随運動・歩行バランス、足を引きずる		

バイタルサイン（VS）

項目	内容
体温（BT）測定	正常：36.0～37.0℃未満（腋窩）
脈拍（P）測定	正常：60～80回/分、規則的なリズム
呼吸（R）測定	正常：12～18回/分
血圧（BP）測定	正常：120～129/84～80mmHg

問診・触診

項目	内容
発熱時	感冒症状：咽頭痛・倦怠感・鼻水・咳・関節痛・咽頭発赤・頸部リンパ節腫脹など、顔色・熱感 炎症症状：疼痛の有無と部位、発赤やリンパ節の腫脹、尿の混濁、傷の有無、誤嚥の有無
脈拍の異常	動悸・息切れ・胸痛・冷汗・浮腫・顔色（蒼白）・チアノーゼなどに注意（心疾患）、必要時に心音の聴診
呼吸の異常	呼吸困難、息苦しさ、低酸素症状などに注意（呼吸器疾患）、必要時に呼吸音の聴診
血圧が高い	頭痛・頭重感・めまい・悪心・嘔吐・視力障害・心悸亢進・脱力感などに注意（脳血管疾患）
血圧が低い	顔面蒼白・寒気・冷汗・しびれ感・口渇・チアノーゼ・脈拍頻数、浅表促迫の呼吸、意識低下などショック状態に注意

フィジカルアセスメントの実際

CASE 一般状態と生命徴候：事例

60歳・男性／パーキンソン病の治療中、39.0℃の発熱・咳嗽がみられ、咽頭痛の訴えがある

問診／バイタルサイン

60歳・男性
パーキンソン病の治療目的で入院

発熱
39.0℃

VS
- BT＝39.0℃
- P＝100回/分
- R＝25回/分
- BP＝150/90mmHg

咳が出る、鼻水が出る

体が熱い、倦怠感あり

咽頭痛、関節痛

食事が飲み込みにくい、摂取時にむせることがある

腹痛、嘔気なし、嘔吐なし、下痢なし

- 内服薬：セルベックス®3錠/日
  ドパストン®1,200mg/日

フィジカルアセスメントの思考過程

- 高齢のため免疫力が低下し、感染しやすい状態である
- 発熱により血圧・脈拍・呼吸は亢進している
- 感冒症状がある
- パーキンソン病による嚥下障害から食事のむせこみがあり、誤嚥の可能性がある

視診

- 顔色：紅潮ぎみ
- 呼吸：促迫
- 咳嗽あり
- 黄褐色粘稠性の痰喀出
- 咽頭発赤あり

- 左下葉に痰の貯留あり
- 発熱から肺炎の可能性あり

聴診

- 呼吸副雑音：
  左下葉に湿性ラ音

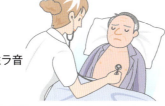

結論

高齢であるため、免疫力が低下している。また嚥下障害から誤嚥性肺炎も考えられる。しかし、発熱、咽頭部の発赤、頸部リンパ節腫脹などの感冒症状が著明であり、感冒による肺炎の可能性が大きい。医師より胸部X線検査、インフルエンザの咽頭培養検査の指示があった。
感冒症状を観察し、食事時のむせこみに注意していく。

触診

- 頸部リンパ節腫脹あり
- 身体に熱感あり

CHAPTER 2　一般状態と生命徴候

57

CHAPTER 2 フィジカルアセスメントの実際

生命を維持する

血液の運搬を担う循環器系（心臓・血管）と、酸素を体内に取り入れて二酸化炭素を体外へ排出する働きを担う呼吸器系（気道・肺）は、生命活動を維持するために必要不可欠な役割を担っています。

これらが十分に機能しない状態は、細胞の壊死を招き、関連する器官の機能が損なわれ、生命にかかわる重篤な状況へとつながります。

本章では循環器系と呼吸器系のフィジカルアセスメントについて解説します。

循環器系のフィジカルアセスメント

1 問 診
- 血管系：胸痛・動悸・努力呼吸・浮腫・下肢の静脈瘤など
- 生活習慣：飲酒・喫煙・食事・運動・ストレスなど
- 既往歴：動脈硬化・高血圧・不整脈・心疾患・肺疾患・糖尿病・甲状腺機能亢進症など

2 視 診
- 胸郭・前胸部・心尖拍動・頸静脈

3 触 診
- 動脈拍動・心尖拍動

4 聴 診
- 心音・心雑音・頸動脈

呼吸器系のフィジカルアセスメント

1 問 診
- 自覚症状・喫煙歴・生活歴・職業歴・家族歴・既往歴・現病歴

2 視 診
- 体位、胸郭と脊柱の外観、胸背部の皮膚、呼吸状態、手指・口唇、咳嗽、喀痰、喀血

3 触 診
- 皮下気腫・圧痛の有無、胸郭の可動性

4 打 診
- 胸郭（肺部）、横隔膜可動域の推定

5 聴 診
- 呼吸音

循環器系のフィジカルアセスメント

心臓と血管、リンパ管からなる脈管系を総称して循環器系と呼びます。血管系は血液を送り出す心臓、心臓からの動脈血が通る動脈、心臓へ戻る静脈血が通る静脈、動脈と静脈をつなぐ毛細血管とで成り立っています。

アセスメントは、①心臓のポンプ機能の働きは正常か、②動脈血が全身に届いているか、③静脈血は心臓に戻ってきているかがポイントとなります。

循環器系の主な健康問題

① 心臓のポンプ機能の障害
- ポンプ機能が障害される疾患：
  虚血性心疾患（狭心症、心筋梗塞）、弁膜症（弁の閉鎖不全、狭窄）、心奇形、心筋疾患（肥大型心筋症、拡張型心筋症）、心膜疾患
- ポンプの調律異常：
  不整脈、うっ血性心不全、心原性ショック

② 動脈血の循環障害
- 動脈疾患：動脈硬化症、大動脈瘤、解離性大動脈瘤
- 圧異常：高血圧、低血圧

③ 静脈血の還流障害
- 静脈疾患：静脈瘤・浮腫

循環器系の問診

- 血管系に関連の強い症状：胸痛、動悸、努力呼吸、浮腫、下肢の静脈瘤など
- 生活習慣：飲酒、喫煙、食習慣、運動習慣、ストレス
- 既往歴：動脈硬化、高血圧、不整脈、心疾患、肺疾患、糖尿病、甲状腺機能亢進症

CHAPTER 2

STUDY 心臓の血管

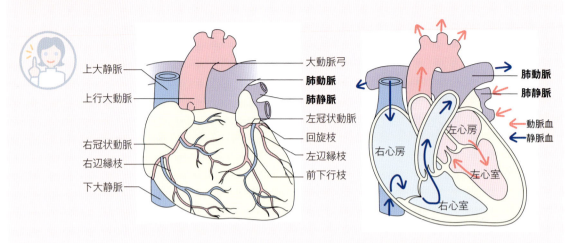

- 心臓から出ていく血管を「動脈」、心臓に戻る血管を「静脈」と呼びます。
- そのため、右心室から肺へと静脈血を運ぶ血管を「肺動脈」、肺から左心房に動脈血を運ぶ血管を「肺静脈」と呼びます。

STUDY 心臓の刺激伝導系

心臓には、みずから活動電位を繰り返し発生させる特殊な筋肉線維があります。正常な心臓の興奮は、洞房結節から生じます。興奮が刺激伝導系のルートを通じて心臓全体に伝わっていくことで、心臓の収縮は制御されているのです。

- **自動能**：神経による刺激がなくてもみずから周期的に興奮し、心臓が収縮と拡張を繰り返すこと。
- **刺激伝導系**：活動電位、つまり電気刺激を伝える連絡路のこと。

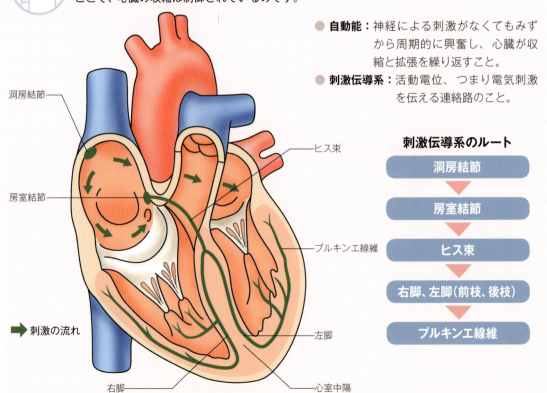

STUDY 全身をめぐる血液：心臓の働きと動脈・静脈

全身の血管をめぐり心臓に戻った静脈血は、右心房から右心室に送られます。さらに肺動脈から肺に入り、酸素を取り込んで動脈血となり、肺静脈から左心房・左心室へと戻ります。そして、再び、左心室から大動脈を経て全身の血管へと送り出されていきます。

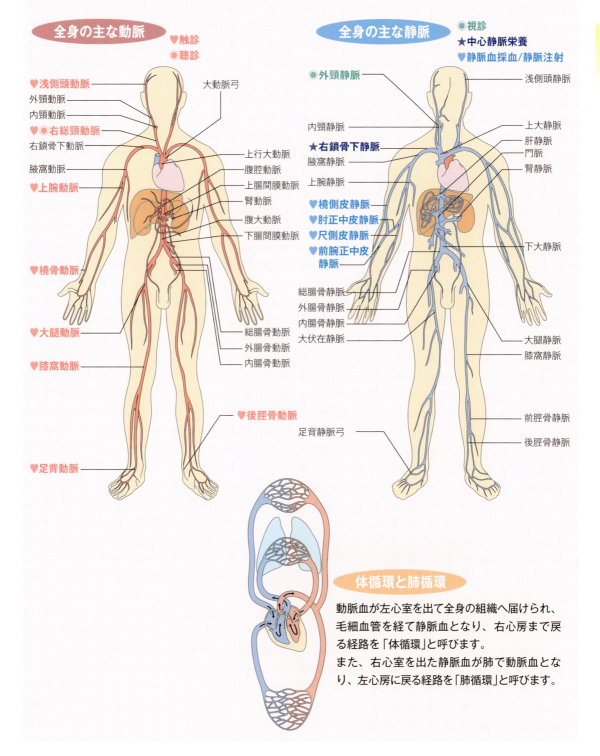

体循環と肺循環

動脈血が左心室を出て全身の組織へ届けられ、毛細血管を経て静脈血となり、右心房まで戻る経路を「体循環」と呼びます。
また、右心室を出た静脈血が肺で動脈血となり、左心房に戻る経路を「肺循環」と呼びます。

CHAPTER 2

CHECK! 左心不全・右心不全のサイン

左心不全のメカニズムと症状

左心機能の低下 ▶ 左心拍出量の減少 ▶ 左房圧上昇 ▶ 肺うっ血

[症状]
- 頻脈
- 低血圧
- チアノーゼ
- 意識障害
- 乏尿

[症状]
- 頻呼吸
- 息切れ
- 呼吸困難
- 喘鳴、咳
- 起座呼吸
- ピンク色の泡沫状痰

右心不全のメカニズムと症状

右心機能の低下 ▶ 右心拍出量の減少 ▶ 右房圧上昇
▼
中心静脈圧上昇 ▶ 体静脈うっ血

[症状]
- 頸静脈怒張
- 浮腫
- 腹水
- 体重増加
- 肝腫大

STUDY 静脈血が心臓に戻るしくみ

心臓のポンプ作用によって送り出された動脈血は、毛細血管で血流速度がほとんど0になり、酸素と二酸化炭素を交換し、栄養を補給して老廃物を回収します。
静脈血は筋ポンプ作用と呼吸ポンプ作用によって、毛細血管から心臓へと戻ります。
筋ポンプ作用とは、動脈が拍動して静脈血を押すこと、四肢の筋肉運動により静脈が圧迫され、静脈内の弁が開き、血液が心臓に向かって押し出されることです。
呼吸ポンプ作用とは、吸気による胸腔内陰圧の高まりによって静脈血が心臓に向かって引かれ、静脈血還流が作り出されることです。

胸部・頸部の視診

胸郭と前胸部の外観

心機能の障害により心不全が長期間に及ぶと、心臓が肥大し、胸郭の変形や左前胸部の隆起や膨隆が生じることがあるため、視診によって、それらの有無を観察します。
胸郭の左右対称性、前後径と横径の比率、心臓部分の隆起と膨隆の有無をみます。
また、脊柱の変形は心臓の働きを阻害することもあるため、その有無も観察します。

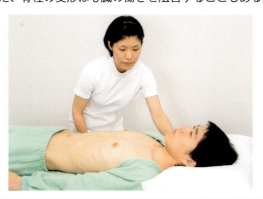

正常
- 胸郭：左右対称
- 前後径と横径の比率：1:1.4〜2
- 陥没や隆起・膨隆なし

異常
- 胸郭：左右非対称。脊柱の側彎がある
- 前後径と横径の比率：1:1に近い
- 左前胸部の膨隆がある

CHECK! 胸郭の変形

正常
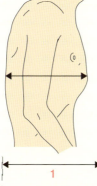
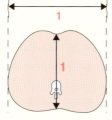
- 胸郭の前後径：横径 =1：1.4〜2

樽状胸
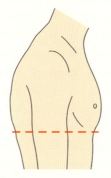

- 胸郭の前後径が拡大した状態。
- 胸郭の前後径：横径 =1：1に近づきます。
- 慢性うっ血性心不全、肺気腫などでみられます。

漏斗胸
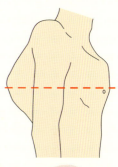
- 前胸部中央が陥没し漏斗状になった胸郭。
- 先天性によるものが多く、陥没が著しいと拘束性換気障害や心機能障害がみられます。

後彎症

- 脊柱が生理的な範囲を超えて、異常に後方へ凸型に変形した状態。
- 骨粗鬆症や椎間板の変性など加齢によって生じる老年性後彎、結核性脊椎炎など椎体変に伴う亀背変形などがある。

CHAPTER 2

心尖拍動の視診

心尖拍動とは、心臓が収縮するときに少し回転することで心尖部が胸壁に当たって生じる拍動です。
健常者では拍動はほとんど認めませんが、やせている人では認めることがあります。
45度左側臥位あるいは座位前屈になってもらい、重力で心尖部が胸郭に接触しやすくして、拍動を観察します。

正常	● 拍動：認めない。あるいは、わずかに拍動を認めるが、位置は左胸部第4〜5肋間で、胸骨中線左側10cm以内
異常	● 左室拡大の場合：心尖拍動は左下方に偏位し、位置は左胸部第4〜5肋間より左下方に移動。胸骨中線左側10cm以上 ● 右室拡大の場合：心尖拍動は三尖弁部位でみられる

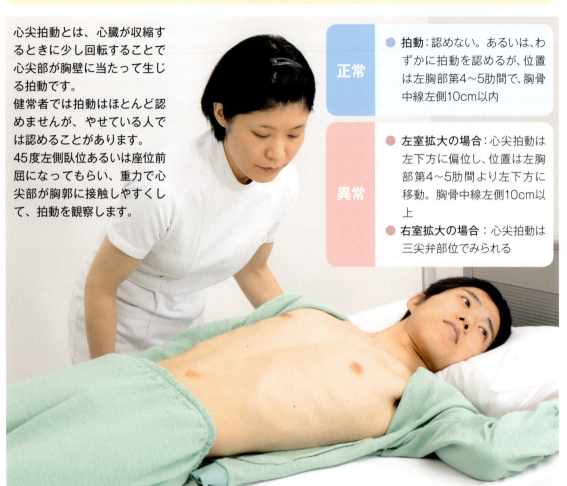

POINT
心尖部の正常位置と左室拡大

- 心尖部は、正常では左胸部第4〜5肋間、胸骨中線左側の10cm以内に位置します。
- 左室拡大があると、心尖部が左下方に偏位し、胸骨中線より10cm以上左側に位置するようになります。

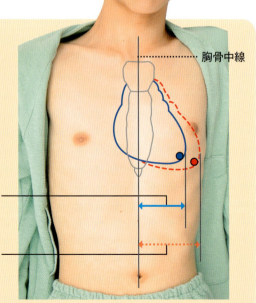

頸静脈の視診

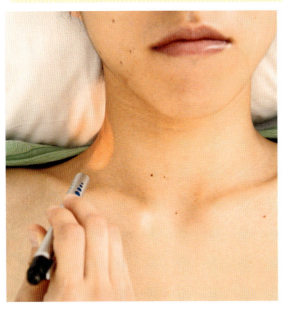
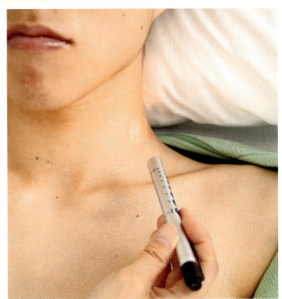

ペンライトの光を斜め上方から頸部に当て、外頸静脈を観察します。胸鎖乳突筋の走行に沿って皮膚表面の拍動が、外方・内方へとわずかに動く様子がみられます。頸静脈は、触診することで頸静脈波が消失してしまうため、視診でしか観察することができません。外頸静脈は体表面に近く、容易に拍動や怒張を観察することができます。

外頸静脈は左右にありますが、右の外頸静脈の観察が重要です。解剖学的構造上、右頸静脈は右心房に近く、右心系の血行動態を最もよく反映しているからです。
内頸静脈の拍動は、患者の体位によって変化します。正常な場合、座位で内頸静脈は観察されません。座位で頸静脈の拍動が視診できる場合は、うっ血性心不全など、右心系の異常が推察されます。

正常
- 頸静脈の怒張：認められない
- 拍動：わずかに体表面から観察できる

異常
- 頸静脈の怒張が認められる場合：右心不全の可能性が高い

POINT

右の頸静脈

■ 右の頸静脈は右心房に近く、右心系の血行動態を反映しています。

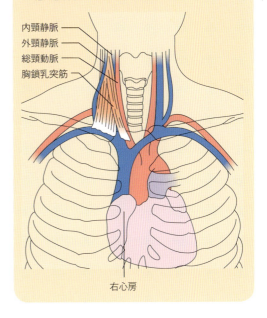

CHAPTER 2

動脈の触診

心臓は収縮と弛緩を繰り返して血液を送り出すため、動脈の血流には拍動が生まれます。脈拍は、左心室の収縮により作られた圧が動脈壁に伝わり、拍動として触れるものです。脈拍は左心室の収縮状態、大動脈弁や動脈壁の性状を反映しています。

脈拍の異常

調律異常
脈拍の間隔が不規則であるのは調律異常であり、不整脈です。

- 呼吸性不整脈：深呼吸の吸気時に脈拍数が増加し、呼気時に脈拍数が減ります。正常な生理的変化です
- 結滞：拍動が抜ける⇒心室期外収縮が考えられます
- リズム不整：脈拍が不規則に乱れる⇒心房細動・心房粗動が考えられます

＊ 頻脈や徐脈、調律異常がみられた時には心電図をとり、心臓の刺激伝導系の異常の発生部位を特定します。

脈拍の左右差と上下肢の差
- 脈拍の左右差：大動脈弓症候群
- 上下肢の差：動脈閉塞性疾患

交互脈
- 心拍出量減少のために脈が大きくなったり、小さくなったりする⇒動脈硬化性心疾患、心筋症、左心不全（かなり心筋収縮力が低下した時）

POINT

- 不整脈には、日常生活にあまり影響のないものからショックをきたす重症のものまで幅があります。
- 臨床では、動脈の触診を基本に心電図をとることで重症不整脈を発見し、致死的不整脈への移行を防ぐ手立てとしています。

STUDY 心電図の説明

心電図とは、心臓の電気的活動を心電計で記録したもので、その波形は心臓の電気的活動、つまり興奮の過程を表しています。

心電図の波形を読むことで、不整脈、ブロック、虚血性心疾患など、心臓の状態を評価できます。

正常な心電図の波形と心臓の収縮期・拡張期

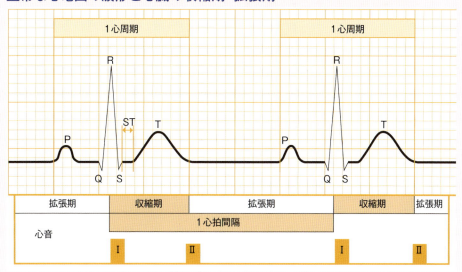

髙階経和：心電図を学ぶ人のために，第4版．医学書院，2005．p27をもとに作成

POINT
- P波：心房の興奮波
- QRS波：心室の興奮波

心電図波形の主な異常

変化		疑われる異常
P波の形に変化		心房期外収縮、心房頻拍
QRS波の形に変化		心室期外収縮、心室頻拍
PP間隔の変化	長い	洞徐脈
	短い	洞徐脈、心房頻拍
RR間隔の変化	長い	洞徐脈、房室ブロック
	短い	洞徐脈、心房・心室頻拍
PQ間隔が長い		房室ブロックⅠ度
P波のあとにQRS波がない		房室ブロックⅡ度、房室ブロックⅢ度
P波とQRS波の区別がつかない		心室細動
STの変化	上昇	心筋梗塞発作時
	低下	労作性狭心症の胸痛発作時

CHAPTER 2

頸動脈の触診

禁忌!
- 頸動脈を両側同時に触診したり、強く圧迫するのは禁忌! 徐脈を引き起こしたり、失神させる危険があります。
- 動脈硬化が強い場合は頸動脈の触診は行いません。

患者を仰臥位とし、看護師は第2・3・4指の3本をそろえ、患者の下顎骨のすぐ下（約2cm）に軽く当て、頸動脈を左右一側ずつ触診します。

観察項目
- 1分間の脈拍数、不整脈の有無、血管の弾性（左右差）、拍動の減弱や立ち上がりの大小
- 両側を行い、左右差の有無を観察

POINT
- 頸動脈拍動の変化は、左心系の血行動態の変化を表しており、中枢性の圧変動を触診することができます。
- 意識消失や生命の危機時など、循環器系が機能しているか即座に観察する必要がある時は、第一に頸動脈を触診します。

上腕動脈の触診

POINT
- 上腕動脈は、血圧を測定する時に用いられます。

上腕動脈の触診は、左右の上腕を片方ずつ行います。
看護師は第2・3・4指の3本をそろえ、血管の走行に沿って、患者の肘窩内側を軽く圧迫して触診し、動脈拍動の触れる部位（上腕動脈）をみつけます。

観察項目
- 1分間の脈拍数、不整脈の有無、血管の弾性（左右差）、拍動の減弱や立ち上がりの大小
- 左右差の有無

フィジカルアセスメントの実際

橈骨動脈の触診

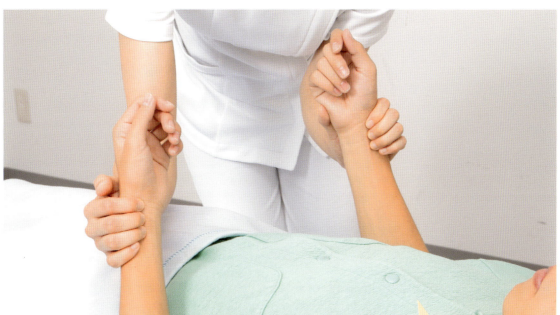

橈骨動脈の触診は左右同時に行うことで、動脈拍動の左右差を発見することができます。左右差は異常な所見であり、大動脈弓症候群が考えられます。看護師は第2・3・4指の3本をそろえ、手関節の内側で親指側を動脈の走行に沿って軽く圧迫し、最も拍動の触れる部位をみつけます。

POINT
- 橈骨動脈の触診は、脈拍測定で最もよく行われます。その場合は、片腕のみ行うことが一般的です。

観察項目
- 1分間の脈拍数、不整脈の有無、血管の弾性（左右差）、拍動の減弱や立ち上がりの大小
- 左右差の有無

CHECK! 「胸が痛い！」どうアセスメントする

胸痛の原因には、循環器系の異常のほかにも様々あります。
また、特に緊急性が高く速やかな対処を要するものと、その他の胸痛があるので、適切な観察による情報収集を行い、医師への報告や症状観察継続の判断が、看護としてとても重要になります。

- **特に緊急の対処を要する胸痛**
  - 肺梗塞（肺動脈血栓塞栓症）
  - 狭心症、心筋梗塞
  - 解離性大動脈瘤
  - 緊張性気胸

- **その他の胸痛**
  - 肋骨骨折
  - 胸膜炎
  - 自然気胸
  - 帯状疱疹
  - 肋間神経痛　　など

CHAPTER 2

CHECK! アレンテスト

アレンテストは、橈骨動脈または尺骨動脈の閉塞性を調べる試験です。
橈骨動脈・尺骨動脈を圧迫し、どちらか一方の動脈の圧迫を解除した後、何秒で循環が戻るかを計測します。

正常：3〜5秒以内にピンク色に戻る
異常：色調が白みがかったまま戻らない。ピンク色に戻るのに5秒以上かかる

患者に片手の拳をきつく握ってもらい、看護師は両手で橈骨動脈と尺骨動脈の両方を圧迫します。

握りしめた拳を緩めてもらいます。

一方の圧迫を解除し、白みがかった手掌の色調が、何秒でピンク色に戻るかを計測します。

CHECK! 爪床圧迫テスト（ブランチテスト）

末梢の血液循環を評価する手法で、手足の爪を指で5秒間圧迫し、圧迫解除後に爪床の色がピンク色に変化するまでの時間を計測します。

指で爪を5秒間圧迫します。

爪が白くなったところで圧迫を解除し、爪床の色がピンク色に変化するまでの時間を測定します。

正常：2秒未満で回復する
異常：回復に2秒以上かかる

大腿動脈の触診

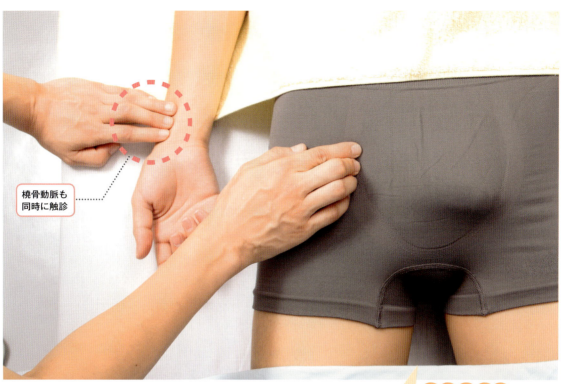

橈骨動脈も同時に触診

大腿動脈の触診は、橈骨動脈と同時に行います。拍動の強さとタイミングを同時にみることで、上下肢の差を発見します。
患者は仰臥位とし、両下肢を伸ばし、力を抜いてもらいます。
看護師は上前腸骨棘と恥骨結節の中央の位置で、鼠径靭帯の下に第2・3・4指の3本の指をそろえやや圧迫気味に当て、最も動脈拍動の触れる部位をみつけます。
同時に橈骨動脈を触診します。

POINT

- ショックや危篤状態にあり末梢動脈での脈拍触知が難しい場合は、大腿動脈を触診します。
- 大腿動脈は冷罨法に用いられる場合があります。
- 血管造影や動脈血採血では、大腿動脈の穿刺がよく行われます。穿刺後の止血の観察は重要であり、大腿動脈の部位を正しく知っておくことが必要です。

観察項目

- 1分間の脈拍数、不整脈の有無、血管の弾性（左右差）、拍動の減弱や立ち上がりの大小
- 左右差：大動脈弓症候群が考えられる
- 上下肢の差：大腿動脈拍動が橈骨動脈拍動よりも弱くかつ遅れて触知される
　⇒動脈閉塞性疾患が考えられる

CHAPTER 2

足背動脈の触診

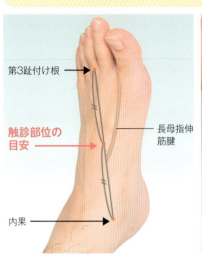

- 第3趾付け根
- 触診部位の目安
- 長母指伸筋腱
- 内果

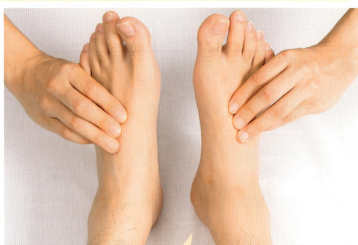

患者は仰臥位で両下肢を伸ばし、力を抜いてもらいます。
看護師は第2・3・4指で、患者の第3趾の付け根と内果を結んだ中点のあたりを軽く触れ、最も動脈拍動の触れる部位をみつけます。
足背動脈の触知は、血管造影検査後の血栓症を早期に発見する目的で、左右差のチェックを行います。

POINT
- 下肢の血行障害により、足背動脈の拍動は減弱・消失します。
- 上肢で血圧測定が行えない場合、足関節のすぐ上にマンシェットを巻き、足背動脈に聴診器を当て血圧測定を行うことがあります。

観察項目
- 1分間の脈拍数、不整脈の有無、血管の弾性、拍動の減弱や立ち上がりの大小、左右差の有無

CHECK! その他の触診部位

浅側頭動脈、膝窩動脈、後脛骨動脈も表在動脈であり、触診することができます。
必要に応じて、これらの部位でも触診を行います。

浅側頭動脈

耳の付け根の前側に指先を当て、脈拍数を測定します。

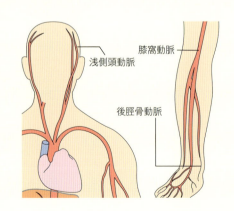

- 膝窩動脈
- 浅側頭動脈
- 後脛骨動脈

心尖拍動とスリルの触診

心尖拍動の位置と拍動時間、拍動範囲を触診することで、心臓の大きさを推定し、正常範囲か心拡大の徴候があるかを観察します。また、スリル（振戦）は大きな心雑音がある場合、その音が振動として触れることをいいます。

心尖拍動の位置と触診

❶ 患者は45度左側臥位とします。この体位により、重力で心尖部が胸郭に接触しやすくなるため、拍動を観察しやすくなります。

❷ まず、胸骨寄りの左第1肋間に指を置きます。

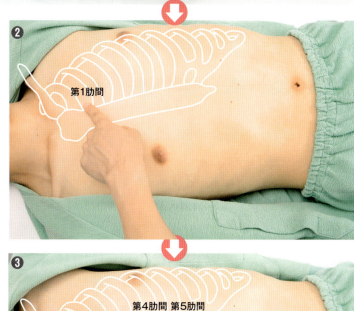

❸ 次に、第2～5肋間まで並べて指を置きます。

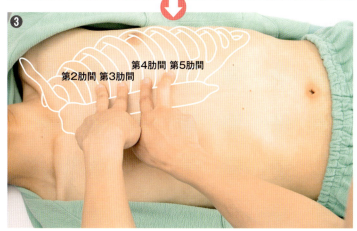

CHAPTER 2

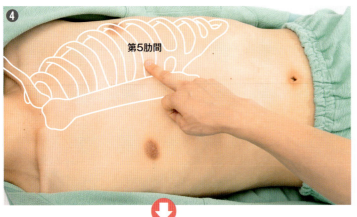

❹ みつけた第5肋間の位置に指を置いたままにします。

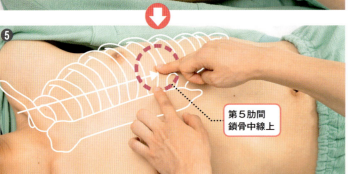

❺ 第5肋間の位置を左指に置き換え、右指で鎖骨中線を確認します。

第5肋間鎖骨中線上

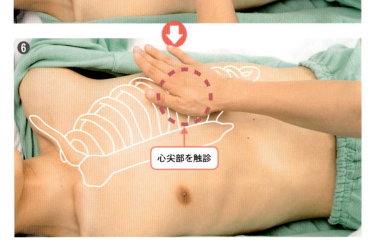

心尖部を触診

❻ 鎖骨中線上、第5肋間の胸骨寄りに手掌全体を指を軽くそらすようにして置き、触診します。

| 正常 | ● 心拍動最強点：左第5肋間、胸骨中線から10cm以内にある。10円硬貨大 |

| 異常 | ● 心拍動最強点：左第6肋間より下方、胸骨中線から左へ10cm以上の位置にある。範囲が2cm以上
● 仰臥位で触知：左室に負荷がかかっている |

POINT
左側臥位で心尖拍動が触れない場合

■ 肥満や、肺気腫で肺が過膨張している場合がほとんどです。

■ 心尖拍動の触診は体格や循環器以外の条件によって、影響を受けやすいため、心音の聴診の結果も組み合わせ、評価は慎重に行います。

― フィジカルアセスメントの実際

CHECK! 心臓の大きさを評価する

心臓の大きさを評価する方法は、心尖拍動の位置を触知し推定するほか、胸部X線写真から「心胸郭比」を求める方法が用いられます。

心尖拍動の触診

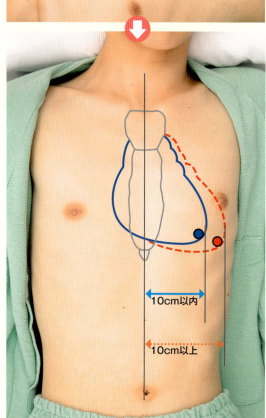

胸部X線写真

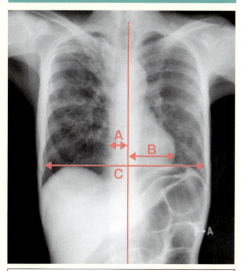

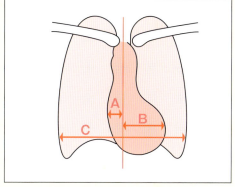

A：正中線から心臓右縁までの最大径
B：正中線から心臓左縁までの最大径
C：左横隔膜角の高さでの胸郭最大横径

(A+B)÷C＝心胸郭比（0.5以上は心拡大）

正常 ● 左第5肋間、胸骨中線から10cm以内

異常 ● 左下方へ移動、胸骨中線から10cm以上

CHAPTER 2 | 心音・心雑音・頸動脈の聴診

循環器系の聴診では、心音と心雑音の有無、頸動脈の血管雑音の有無を観察します。解剖学的な一般知識と、問診・視診・触診から得た対象者の情報をもとに、頸動脈の状態と心臓の位置を推定して聴診することで、動脈硬化の徴候や心機能をより詳しく観察することができます。

循環器系の聴診に共通するポイント

- 静かな環境で、患者も看護師もリラックスして行います。聴診器を手で温めておきます。
- 聴診する間、患者も看護師も共に呼吸を止めると、呼吸音が混じらず雑音を聴き分けやすくなります。
- 看護師は患者の上腕動脈か橈骨動脈に触れながら聴診し、心臓周期との関連をとらえます。

心音・心雑音の聴診

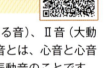
2-5

正常な心音には、Ⅰ音（僧帽弁と三尖弁が閉じる音）、Ⅱ音（大動脈弁と肺動脈弁が閉じる音）があります。心雑音とは、心音と心音の間、あるいはそれらにまたがって聴かれる振動音のことです。心雑音は、一般に心音よりも持続時間が長い特徴があります。

観察項目
- **心音**：リズム、音の強さ、Ⅰ音とⅡ音の判別と音の分裂の有無、呼吸性の変化
- **心雑音**：有無

STUDY　心音のⅠ音・Ⅱ音とは

Ⅰ音は僧帽弁と三尖弁が閉じる音、Ⅱ音は大動脈弁と肺動脈弁が閉じる音です（心電図との関係はp67参照）。

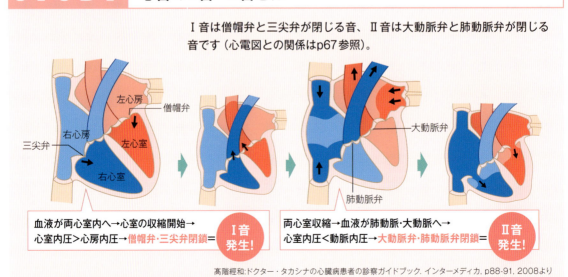

血液が両心室内へ→心室の収縮開始→心室内圧＞心房内圧→僧帽弁・三尖弁閉鎖＝**Ⅰ音発生！**

両心室収縮→血液が肺動脈・大動脈へ→心室内圧＜動脈内圧→大動脈弁・肺動脈弁閉鎖＝**Ⅱ音発生！**

髙階經和：ドクター・タカシナの心臓病患者の診察ガイドブック. インターメディカ, p88-91, 2008より

フィジカルアセスメントの実際

聴診部位：心臓の4つの弁と頸動脈を聴診　2-6

心臓の4つの弁（大動脈弁・肺動脈弁・三尖弁・僧帽弁）が閉じる音を、体表面から聴き取りやすい部位を選択して聴診します。
聴診器は手で温め、膜面を皮膚に密着させて用います。僧帽弁部位は膜面で聴診してからベル面を軽く皮膚に当て、聴診します。

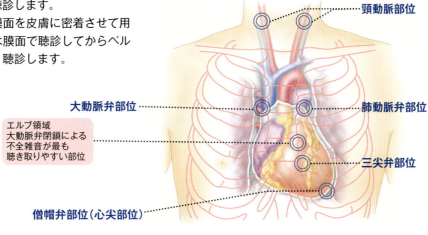

- 頸動脈部位
- 大動脈弁部位
- 肺動脈弁部位
- 三尖弁部位
- 僧帽弁部位（心尖部位）

エルブ領域
大動脈弁閉鎖による不全雑音が最も聴き取りやすい部位

髙階經和：ドクター・タカシナの心臓病患者の診察ガイドブック．インターメディカ，p112，2008を一部改変

大動脈弁部位

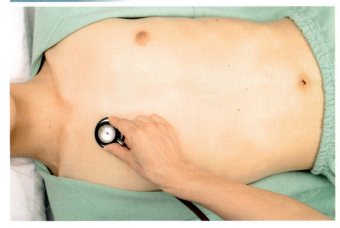

第2肋間胸骨右縁に、聴診器の膜面を当て聴診します。

正常
- Ⅰ音よりⅡ音のほうが大きく聴こえる。心雑音なし

異常
- 心雑音：大動脈弁狭窄や大動脈弁閉鎖不全の可能性

肺動脈弁部位

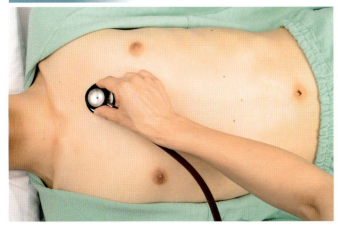

第2肋間胸骨左縁に、聴診器の膜面を当て聴診します。

正常
- Ⅰ音よりⅡ音のほうが大きく聴こえる。心雑音なし
- 吸気時にⅡ音が0.02～0.03秒分裂し、呼気時に分裂は消失
  ⇒呼吸性分裂（生理的分裂）

異常
- Ⅱ音の分裂が固定：心房中隔欠損の可能性

三尖弁部位

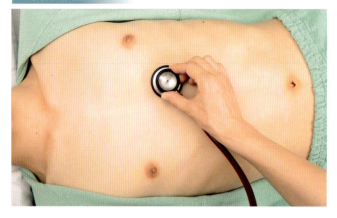

第4肋間胸骨左縁に、聴診器の膜面を当て聴診します。

正常
- I音がⅡ音よりやや大きい

異常
- I音が減弱：右室不全の可能性
- 心雑音：三尖弁閉鎖不全、大動脈弁閉鎖不全の可能性

僧帽弁部位

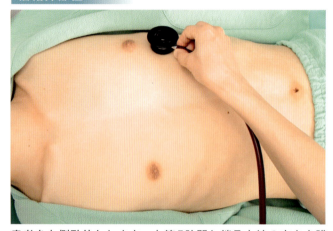

患者を左側臥位とします。左第5肋間と鎖骨中線の交点を膜面で聴診し、続いてベル面で聴診します。この部位ではⅢ音・Ⅳ音を聴くことができます。低音のⅢ音・Ⅳ音は、ベル面のほうがよく聴き取れます。

正常
- I音がⅡ音より大きく聴こえる
- 胸壁の薄い若年者でⅡ音に続いてⅢ音が聴こえる（生理的Ⅲ音）

異常
- I音が減弱：左室不全の可能性
- 心雑音：僧帽弁閉鎖不全の可能性
- 成人・高齢者でⅡ音に続いてⅢ音：急性心筋梗塞、心房細動などによる左室不全の可能性
- Ⅳ音：左室肥大の可能性

頸動脈

下顎角直下約2cmの部位（甲状軟骨上縁の高さ）に聴診器を当て、頸動脈の血管音を聴診します。聴診器はベル面・膜面のどちらを当ててもかまいません。反対側の頸動脈を聴診し、左右差や血管雑音を評価します。

正常
- 血管雑音はない

異常
- 血管雑音：頸動脈内腔に50％以上の狭窄。高ピッチで収縮期から拡張期にかけて持続。狭窄が90％以上になると血管雑音は減弱

フィジカルアセスメントの実際

CHECK! 下肢の静脈瘤について

静脈瘤は、静脈がび漫性あるいは限局性に拡張・蛇行した状態で、特に下肢の伏在静脈に好発します。

下肢静脈瘤の主な原因は静脈弁の不全、妊娠、長時間の同一体位、立ち仕事などによる下肢静脈圧の上昇です。

自覚症状は患肢のだるさ、腫脹、疼痛、夜間の下肢筋の痙攣です。静脈血の還流を促進するために弾性ストッキングを着用し、保存的に改善を目指します。

症状が改善せず苦痛が強い場合には外科的治療を選択することもあります。

CHECK! 下肢の深部静脈血栓症とホーマンズ徴候

下肢の深部静脈炎や静脈血栓は、ホーマンズ徴候の有無で見分けることができます。

患者を仰臥位とし、片膝を軽く立ててもらいます。患者の足関節を背屈し、下腿三頭筋を伸展します。

正常：下腿三頭筋に疼痛はない
異常：下腿三頭筋に疼痛が生じる⇒ホーマンズ徴候あり

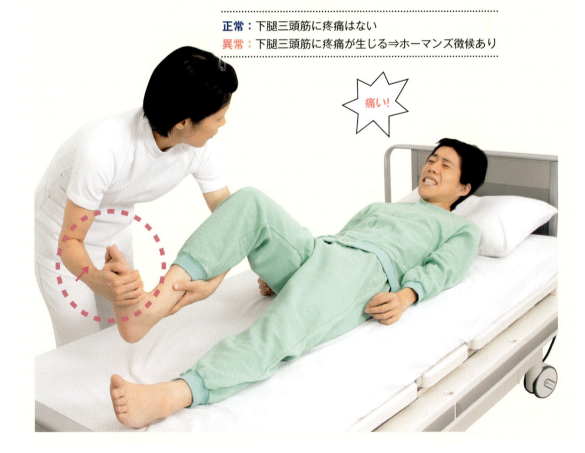

痛い!

CHECK! 安静時と活動時の循環状態の変化

体内の血液は動脈に全体の20%、静脈に75%、毛細血管に5%の配分でそれぞれの血管内に蓄えられているといわれています。

血液量は体重の約8%ですから、体重50kgの人を例にとると血液量は4L、動脈に0.8L、静脈に3L、毛細血管に0.2L。全身の細胞の活動を800mLの動脈血が支えていることになります。

細胞は安静時に比べ、活動時にはより多くの酸素を必要とします。心臓は、活動時には安静時の4.5倍の血液を送り出して全身の細胞に届け、さらに肝臓・消化管や腎臓への血流量を抑え、骨格筋に大量の血液を届けます。安静臥床していた患者が、生活行動を拡大する際には、循環器により多くの負荷がかかることを理解する必要があります。

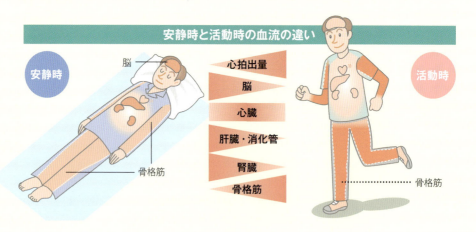

安静時と活動時の血流の違い

CHECK! 喫煙は、血液循環に大きな負荷をかける

タバコの煙には約200種類の有害物質、60〜70種類の発がん性物質が含まれており、特にニコチンは発がん性物質で依存性が高いことが指摘されています。ニコチンは身体にすぐさま影響し、中枢神経系の興奮、心拍数の増加、血管の収縮、血圧の上昇を招きます。

さらに、煙に含まれる一酸化炭素は、酸素の20倍の親和性でヘモグロビンと結びつきます。このため、心臓が懸命に働いて動脈血を全身の細胞に送り届けようとしても、その動脈血で運搬される酸素の量は減少してしまいます。

このように、喫煙は血液循環に大きな負荷をかけ、高血圧・心筋梗塞・脳梗塞・慢性閉塞性肺疾患（COPD）の危険因子となります。

循環器系：フィジカルアセスメントの内容と進め方

問診	基礎情報	バイタルサイン・年齢・身長・体重・飲酒・喫煙・食習慣・運動習慣・ストレスなど
	自覚症状	胸痛・動悸・呼吸困難・浮腫・下肢の静脈瘤など
	既往歴・現病歴	動脈硬化・高血圧・不整脈・心疾患・肺疾患・糖尿病・甲状腺機能亢進症など
視診	胸郭と前胸部の外観	胸郭変形の有無、左前胸部の隆起や膨隆の有無
	心尖拍動	心尖拍動の有無、位置、胸骨中線からの距離
	頸静脈	頸静脈怒張の有無
	その他	下肢静脈瘤の有無
触診	全身の動脈拍動	頸動脈・上腕動脈・橈骨動脈・大腿動脈・膝窩動脈・足背動脈・後脛骨動脈の1分間の脈拍数、不整脈の有無、血管の弾性、拍動の減弱や立ち上がりの大小、左右差の有無、上下肢の差、交互脈の有無
	心尖拍動とスリル	心尖拍動の位置と拍動時間、拍動範囲、スリル（振戦）の有無
	その他	アレンテスト、爪床圧迫テスト（ブランチテスト）、ホーマンズ徴候の有無
聴診	頸動脈	血管雑音の有無
	心音と心雑音	リズム、音の強さ、Ⅰ音とⅡ音の判別と音の分裂の有無、呼吸性の変化、心雑音の有無、Ⅲ音・Ⅳ音の有無

CHAPTER 2

CASE 循環器系：事例

63歳・男性／前胸部の痛み、左肩から腕への痛みを感じて病院を受診

問診

63歳・男性
前胸部の痛みなどで外来受診

自覚症状
前胸部の胸痛を感じてから30分様子をみても軽快せず増強しており、左肩から腕への痛みがある

基本情報
- BT＝36.5℃、P＝112回/分・リズム不整あり、R＝22回/分、BP＝176/90mmHg
- 63歳・男性、身長170cm、体重96kg
- 喫煙60本/日×40年、ビール・ウイスキー水割り2〜3杯/日、食事2回/日
- 運動はゴルフを1〜2回/月、自営業で付き合いが多い

現病歴
- 狭心症（2年前）

既往歴
- 糖尿病7年前に指摘、教育入院の経験あり、食事1,800kcal、経口血糖降下剤内服中

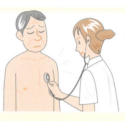

視診

- **胸郭と前胸部の外観**：胸郭変形なし、左前胸部の隆起や膨隆なし
- **心尖拍動**：確認できず
- **頸静脈**：怒張なし
- **その他**：表情苦悶様

触診

- **全身の動脈拍動**
  - 頸動脈は拍動あり、左右差なし
  - 上腕動脈、橈骨動脈、足背動脈の動脈拍動は良好で左右差なし、血管壁はやや硬い
- **心尖拍動とスリル**
  - 心尖拍動触知不良、スリルの触知なし

聴診

- **頸動脈**
  - 血管雑音あり
- **心音と心雑音**
  - Ⅰ音とⅡ音の聴取良好、Ⅲ音の聴取あり、心雑音はなし

フィジカルアセスメントの思考過程

- 不整脈があり、心臓の調律異常がある。糖尿病の既往とヘビースモーカーであることから動脈硬化の可能性が高い。狭心症の既往があり虚血性心疾患の可能性が高く、前胸部の圧迫感と放散痛から、急性心筋梗塞の可能性が高い

- 苦悶様の表情から、前胸部圧迫感は強い胸痛である可能性があり、また、不安は強いととらえられる。胸郭変形がないことから、長期間の心機能不全であった可能性は低い

- 現時点で、循環は保たれている。血管壁がやや硬く、動脈硬化が進んでいる可能性は高い。心尖拍動が触知不良なのは、体格の影響であるととらえられる

- 頸動脈の血管雑音があり、動脈硬化の可能性が高く、冠状血管を含む全身の動脈で動脈硬化が同様に生じている可能性もある。Ⅲ音が聴診されたことから、急性心筋梗塞である可能性が高い

結論
不整脈があり調律異常が生じている。動脈硬化が進んでいる可能性が高く、虚血性心疾患の急性心筋梗塞が生じていると考えられる。循環不全によるショックを招く可能性があるため、状態を医師に報告し、緊急で医師の診察を受け、虚血状態の改善が求められる。

呼吸器系のフィジカルアセスメント

呼吸器は酸素を取り込み、二酸化炭素を排出するガス交換を行っています。肺胞で行われるガス交換を「外呼吸」、組織細胞で行われるガス交換を「内呼吸」といいます。

呼吸運動が正常に行われているか、酸素化と二酸化炭素の排泄がうまく行われているか、関連する所見も加えて観察し評価します。

呼吸器系の問診

- 自覚症状：呼吸困難（息切れを伴う生活動作と程度）、胸痛、咳・痰、発熱、喀血、体重の変化など
- 喫煙歴：喫煙開始年齢、1日の本数×喫煙年数、禁煙の試み、受動喫煙など
- 生活歴：生活環境（自宅周辺・自宅内の階段など）、アレルギーの有無、ペットの有無、いびきについて
- 職業歴：職業と職場環境での有害物質暴露の有無など
- 家族歴：結核、喘息など
- 既往歴：心疾患、呼吸器疾患、手術歴など
- 現病歴：発症から現在までの経過

呼吸困難の評価

Fletcher-Hugh-Jonesの分類	
Ⅰ度	同年齢の健常者とほとんど同様の労作ができ、歩行、階段昇降も健常者なみにできる
Ⅱ度	同年齢の健常者とほとんど同様の労作ができるが、坂、階段の昇降は健常者なみにはできない
Ⅲ度	平地でさえ健常者なみには歩けないが、自分のペースでなら1マイル（1.6km）以上歩ける
Ⅳ度	休みながらでなければ50ヤード（約46m）も歩けない
Ⅴ度	会話、衣類の着脱にも息切れを自覚する。息切れのために外出できない

MRC息切れスケール	
Grade 0	息切れを感じない
Grade 1	強い労作で息切れを感じる
Grade 2	平地を急ぎ足で移動する、または穏やかな坂を歩いて登るときに息切れを感じる
Grade 3	平地歩行でも同年齢の人より歩くのが遅い、または自分のペースで平地歩行していても息継ぎのため休む
Grade 4	約100ヤード（91.4m）歩行したあと息継ぎのため休む、または数分間、平地歩行したあと息継ぎのため休む
Grade 5	息切れがひどくて外出ができない、または衣類の着脱でも息切れがする

CHAPTER 2

STUDY 呼吸器の解剖

呼吸器は鼻腔・咽頭・喉頭・気管・気管支・肺からなり、鼻腔から喉頭までを上気道、それ以下を下気道といいます。右肺は上葉・中葉・下葉、左肺は上葉・下葉に分かれ、気管は第2肋骨の高さで左右の主気管支に分岐します。

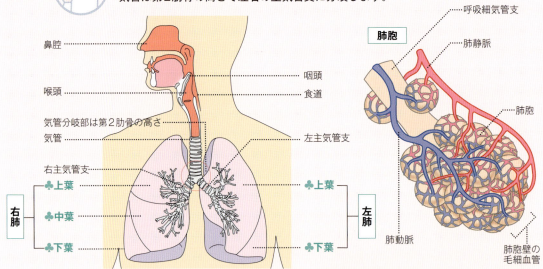

呼吸細気管支は肺胞へとつながります。肺胞には動脈と静脈の毛細血管が張り巡らされており、気道を通って肺胞までたどり着いた酸素は肺胞をとりまく動脈血の中に溶け込みます。また、血中の不要になった二酸化炭素が血液から肺胞の空気へと運び出されます。この肺胞での酸素と二酸化炭素の交換を「ガス交換」と呼びます。

[肺区域]

左右の肺の肺葉は、さらに細かく肺区域 (Pulmonary segment) に分けられます。肺区域は「S」と表記され、右肺ではS1～S10の10区域、左肺はS1+2～S10 (S7はない) の8区域があります。

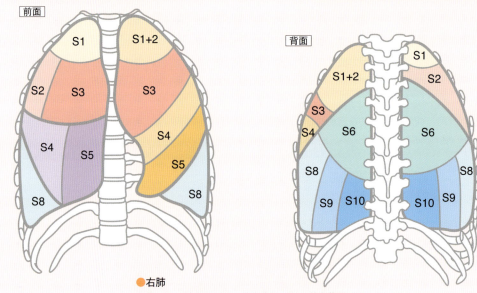

● 右肺
上葉　S1：肺尖区、S2：後上葉区、S3：前上葉区
中葉　S4：外側中葉区、S5：内側中葉区
下葉　S6：上下葉区、S7：内側肺底区、S8：前肺底区、S9：外側肺底区、S10：後肺底区

● 左肺
上葉　S1+2：肺尖後区、S3：前上葉区、S4：上舌区、S5：下舌区
下葉　S6：上下葉区、S8：前肺底区、S9：外側肺底区、S10：後肺底区

フィジカルアセスメントの実際

STUDY 胸郭の構成

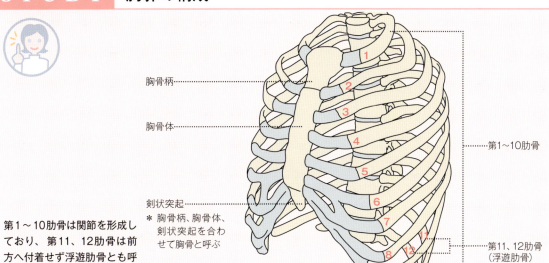

第1～10肋骨は関節を形成しており、第11、12肋骨は前方へ付着せず浮遊肋骨とも呼ばれます。

* 胸骨柄、胸骨体、剣状突起を合わせて胸骨と呼ぶ

STUDY 体表面からみた呼吸器の位置

肺尖部・肺底部などの位置を鎖骨・肋骨の位置関係から把握し、体表面からとらえることが大切です。

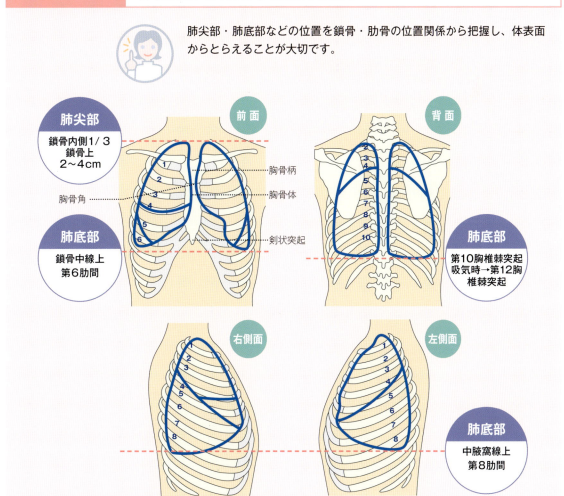

肺尖部
鎖骨内側1/3
鎖骨上2～4cm

肺底部
鎖骨中線上
第6肋間

肺底部
第10胸椎棘突起
吸気時→第12胸椎棘突起

肺底部
中腋窩線上
第8肋間

CHAPTER 2

STUDY　呼吸運動のしくみ

2-7

呼吸は筋肉が胸郭を動かし、肺底と接する横隔膜が上下することで肺が膨張・収縮して行われています。胸腔内圧を変化させ、間接的に肺胞への外気の流入（吸気）と体外への肺胞内空気の流出（呼気）を生み出しているのです。

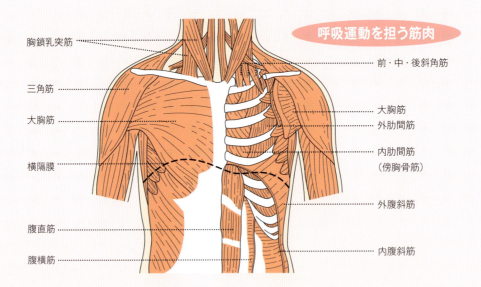

呼吸運動を担う筋肉

- 胸鎖乳突筋
- 三角筋
- 大胸筋
- 横隔膜
- 腹直筋
- 腹横筋
- 前・中・後斜角筋
- 大胸筋
- 外肋間筋
- 内肋間筋（傍胸骨筋）
- 外腹斜筋
- 内腹斜筋

吸気

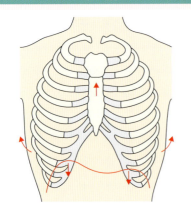

外肋間筋が肋骨と胸骨を前上方に引き上げ、横隔膜が収縮して腹腔側に下がる

↓

胸腔が拡大する

↓

胸腔内の陰圧が強まる（−8〜−6cmH$_2$O）

↓

肺内に外気が吸気として流入する

呼気

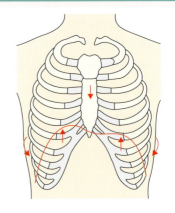

内肋間筋が肋骨を引き下げ、横隔膜が弛緩して胸腔側に上がる

↓

胸腔が縮小する

↓

胸腔内の陰圧が弱まる（−4〜−2cmH$_2$O）

↓

肺内の空気が呼気として流出する

フィジカルアセスメントの実際

CHECK! 肺気量分画

肺機能検査によって最大吸気位、安静吸気位、安静呼気位、最大呼気位の肺気量を測定し、1回換気量、予備吸気量、予備呼気量、残気量、肺活量などを割り出したものが肺気量分画です。

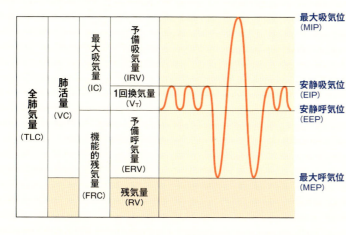

成人の肺気量分画の正常値
（20〜30歳・仰臥位）

名称	正常値
予備吸気量	3,100mL (BTPS)
1回換気量	500mL
予備呼気量	1,000mL
残気量	1,300mL
最大吸気量	3,600mL
機能的残気量	2,300mL
肺活量	4,600mL
全肺気量	5,900mL

林文明, 西野卓：肺気量と換気力学. p608（本郷利憲, 廣重力監修：標準生理学 第5版. 医学書院, 2000）より一部改変

CHECK! 換気障害の分類

閉塞性換気障害とは、1秒率が70%以下で、%肺活量が80%以上の場合で、気道の閉塞を意味しています。
拘束性換気障害とは、1秒率が70%以上で、%肺活量が80%以下の、肺が広がらず拘束されている状態を示します。
混合性換気障害とは、1秒率が70%以下、%肺活量が80%以下で、閉塞性と拘束性の換気障害がどちらもある状態を指します。

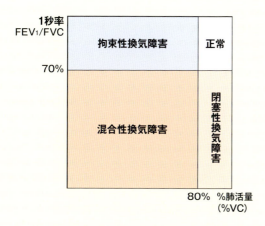

- ●FVC（努力性肺活量）：
  最大吸気位から最大努力呼気をさせて得られる努力呼気曲線の、最大吸気位から最大呼気位までの肺気量変化

- ●FEV_1（1秒量）：
  努力呼吸開始から1秒間の呼出肺気量

- ●FEV_1/FVC（1秒率）：
  1秒量の値を努力性肺活量で除した値（FEV_1/FVC×100）。70%以上＝正常

- ●%VC（対標準肺活量）：
  性別・年齢・身長から求めた肺活量の標準値に対する割合を%VCという。80%以上＝正常

CHAPTER 2

呼吸器系の視診

胸郭の外観や呼吸の数・リズムなどを視診することで、肺・心疾患の有無や換気機能の状態を観察します。

体位

対象者が無意識にあるいは自発的にとっている体位を観察します。

- 正常：呼吸困難のために体位が制限されない
- 異常：起座呼吸

胸郭と脊柱の外観、胸背部の皮膚

- 胸郭の変形：呼吸運動を阻害する要因、長期に及ぶ心臓疾患や肺疾患の影響
- 胸郭：左右対称性、変形の有無、前後径と左右径の比率、皮膚の外傷・腫瘤の有無
- 脊椎：左右対称性、陥没・隆起の有無、皮膚の外傷や腫瘤の有無、樽状胸（肺気腫）、漏斗胸・側彎症（呼吸運動が制限）
- 肋骨角：90度以上⇒肺の過膨張を示す所見、COPDの可能性が高い

側彎症

呼吸状態

- 胸式呼吸、腹式呼吸、胸腹式呼吸
- 呼吸数、呼吸リズム、呼吸の深さ
- 努力呼吸の有無

手指・口唇

- 正常：口唇は赤みあり。爪はピンク色、形状も正常
- 異常：口唇と爪にチアノーゼ、指がバチ状に変形

POINT

チアノーゼとは

- チアノーゼは、爪や唇が青に近い紫色に変化した状態です。中心性チアノーゼ（動脈血酸素飽和度の低下、ヘモグロビン異常）、末梢性チアノーゼ（心拍出量減少、寒冷暴露、動脈閉塞、静脈閉塞など）があります。
- 還元ヘモグロビン濃度5g/dL以上になると出現します。
- 酸素飽和度でみると80％前後から出現し始め、70％以下に低下した時には明らかなチアノーゼを認めます。

POINT

バチ状指とは

- 手指・足趾の末節がこん棒状に腫大し、爪の彎曲度が増大した状態です。先天性心疾患や慢性の心肺疾患でみられることの多い変形です。

正常（150度）

軽度（160度）

高度（180度以上）

フィジカルアセスメントの実際

咳嗽（がいそう） 	● 湿性咳（痰を伴う）：気道内に分泌物が貯留 ● 乾性咳（痰を伴わない）：気道粘膜への刺激、気道の攣縮、胸膜病変、縦隔病変、間質性肺炎、左心不全の可能性
喀痰	● 性状、色調、臭い、量
喀血	● 気道あるいは肺の病変部の血管の破綻によるもので、1回に5mL以上の血液を咳と共に喀出します

咳嗽反射の4段階

第1段階：刺激
- 機械的刺激、化学的刺激、温度刺激、アレルギー性刺激、炎症性刺激によって起こる
- ＊麻酔薬や麻薬性鎮痛薬を使用している場合や、中枢神経障害や昏睡患者は反応しない

↓

第2段階：吸気
- 刺激受容体（鼻腔、副鼻腔、咽喉頭、気管支粘膜）が興奮し、吸息筋（吸気性肋間筋や横隔膜）の収縮が起こる
- ＊神経筋の障害、拘束性障害によって肺活量が減少している場合、疼痛による吸気障害では呼吸筋の収縮が阻害される

↓

第3段階：圧縮
- 声門が閉鎖し、肋間筋や腹筋の収縮によって胸腔内圧が高まる
- ＊喉頭神経麻痺、気管内挿管している場合、腹筋群の筋力低下、手術後の疼痛がある場合、声門の閉鎖や肋間筋・腹筋の収縮が阻害される

↓

第4段階：呼出
- 胸腔内圧が急に上昇（100～150cmH2O）し、続いて声門が瞬時に開大し、急激な呼気が咳嗽として呼出される
- ＊気道狭窄や気道が閉塞している場合、腹筋群の筋力低下がある場合、胸腔内圧の上昇や声門の開大が阻害される

痰の観察

	特徴	病態
性状	粘液性痰：透明に近く糸を引きやすい	気管支粘液腺の過形成
	膿性痰：黄緑色で膿汁様	細菌感染、気道分泌と漿液滲出の亢進
	漿液性痰：水様で透明	毛細血管の透過性亢進
	泡沫性痰：泡状	肺のうっ血や透過性亢進
	血性痰：血液が混じる	肺の小血管破綻
色調・臭い	ピンク色	肺水腫
	さび色	結核、肺炎球菌
	黄緑色	黄色ブドウ球菌
	緑色	緑膿菌、インフルエンザ桿菌
	腐敗臭	嫌気性菌

CHAPTER 2

STUDY 酸素飽和度と動脈血酸素分圧の関係

呼吸機能の評価、つまり酸素化と二酸化炭素の排泄が有効にできているかどうかを正確に判断するには、動脈血ガス分析が有効です。動脈血中の酸素分圧、二酸化炭素分圧、その他のパラメーターを測定し、酸素の取り込みと二酸化炭素の排泄を数値で評価しますが、動脈血採血は患者への侵襲、安全性の面から一般的に日常的には行いません。

そこで、侵襲がなく簡便に使用できるパルスオキシメータで、経皮的に動脈血酸素飽和度を測定します。この値を正しく活用するには、経皮的酸素飽和度を動脈血酸素分圧に置き換えると、どの程度の値になるのかを理解しておくことが必要です。

酸素解離曲線はPaO_2とSpO_2の関係を示しており、S字カーブの形をしています。PaO_2が60mmHg以下、SpO_2が90%以下になると、酸素解離曲線のカーブが急激に低下します。

酸素解離曲線

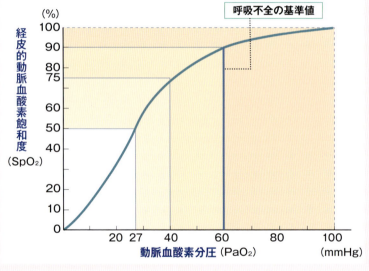

- 動脈血酸素分圧: PaO_2(arterial O_2 pressure)
- 動脈血酸素飽和度: SaO_2(arterial O_2 saturation)
- (パルスオキシメータによる)経皮的動脈血酸素飽和度: SpO_2(oxygen saturation of arterial blood measured by pulse oximeter)

パルスオキシメータ

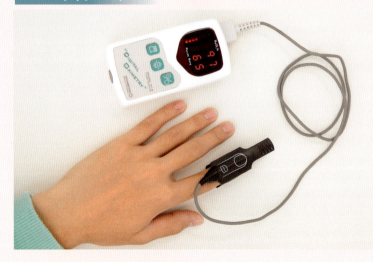

PaO_2とSpO_2の対応表(目安)
(pH、$PaCO_2$が正常範囲内であるとき)

PaO_2	SpO_2
104	98
80	95
70	93
60	90
55	88
50	85
40	75

CHECK! 高炭酸ガス血症に注意!

低酸素血症は呼吸困難やチアノーゼという所見があり、酸素飽和度でモニタリングできるため、観察が比較的容易です。
一方、ガス交換が阻害されて生じる高炭酸ガス血症は自覚しにくく、計測機器も普及していないため、注意深い観察が重要です。
慢性呼吸不全の患者の動作・言動がおかしいと感じる時、二酸化炭素が血中に蓄積して生じるCO_2ナルコーシスによる意識障害の可能性があります。
二酸化炭素が蓄積した人に高濃度の酸素療法を行うとCO_2ナルコーシスが生じやすく、呼吸抑制が起こり生命の危機的状況に陥ります。

動脈血二酸化炭素分圧($PaCO_2$)正常値:35〜45mmHg

高炭酸ガス血症の症状

頭痛、発汗、手の震え、頻呼吸、頻脈、(高炭酸ガス血症が進行すると)徐脈、傾眠、錯乱、幻覚、昏睡

呼吸器系の触診

触診により、換気時の胸郭の動きを観察します。可動性・動くタイミングの左右差に留意して行います。

皮膚の触診

- 皮下気腫・圧痛の有無:
  気胸、気管切開後、肺切除術後にみられることが多く、胸腔内に漏れた空気が皮下組織に入ることによって生じます。圧痛があり、皮膚を軽く圧迫すると、雪を握るような手触り、小さな泡がプチプチ潰れるような手触りがあります。

胸郭の可動性

- 患者の肋骨弓(左右の肋骨縁)に両手の母指を当て、深呼吸を促し、吸気時の肋骨角の広がり、左右の胸郭の広がり、動くタイミングを観察します。
- 同様の観察を背面からも行います。
- 正常:吸気時に胸郭は左右対称に広がり、広がるタイミングに左右差はありません
- 異常:吸気時に両側あるいは片側の拡張障害
  ⇒病変があれば、その部位の動きは減少
- 異常:広がるタイミングで片側に遅れ
  ⇒病変が小さいとタイミングのズレが発生

CHAPTER 2

触診法：胸郭の可動性の観察

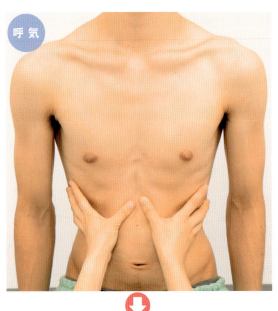

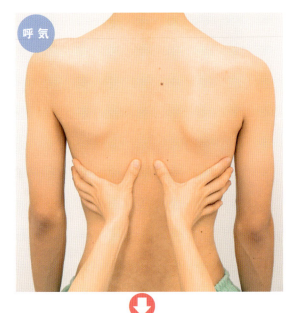

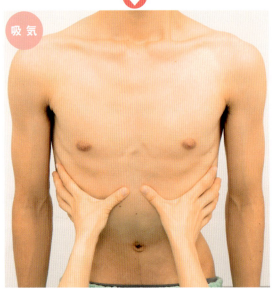

看護師は座位の患者の正面に位置し、患者の肋骨弓（左右の肋骨縁）に両母指を当て、第2～5指と手掌で左右対称に胸郭を包むようにします。

患者に深呼吸を促し、吸気時の肋骨角の広がり、左右の胸郭の広がり、動くタイミングを観察します。

患者に背中を向けてもらい、胸郭下部の高さで脊柱に両母指を当て、第2～5指と手掌を左右対称に胸郭を包むようにします。

患者に深呼吸を促し、吸気時に両母指間の間隔の広がり、左右の胸郭の広がり、動くタイミングを観察します。

フィジカルアセスメントの実際

音声振盪の触診

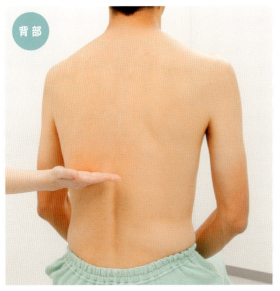
背部

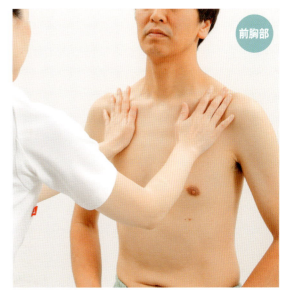
前胸部

患者に低い声で「ひとーつ、ふたーつ」とゆっくり繰り返してもらい、胸壁への振動を触診します。

POINT
- 振動を正確に感じるために、手を密着させます。

正常 ● 左右差なし

異常
- 増強している場合：肺炎、気管支炎、心不全など
- 減弱している場合：胸水貯留、気胸、気管支閉塞、慢性閉塞性肺疾患（COPD）

STUDY　音声振盪とは

発声で生じた振動は、胸壁全体に伝わります。その性質を利用して、患者に低い声で発声してもらい（「ナインティナイン、ナインティナイン」と繰り返してもらう、あるいは、「ひとーつ、ふたーつ」と声にしてもらう）、胸壁に伝わる振動を検者の手で触知し、胸郭内の病変の存在を査定する方法を、音声振盪といいます。
音声振盪の触診では、左右差をみることが、異常を発見するうえで大切です。
病変部分では、振動が増強あるいは減弱します。

増強：肺炎、気管支炎、心不全などでは、病変部の振動が増強します。
減弱：胸水貯留、気胸、慢性閉塞性肺疾患などでは、病変部の振動が減弱します。

CHAPTER 2 呼吸器系の打診

打診による反響音、振動の変化により胸郭の含気状態を推測することができます。胸壁から5cm以内の深さで2～3cm直径の病変を見分けることができるといわれています。

胸郭（肺部）の打診

- 患者は座位とし、前胸部を肺尖部から下葉まで打診します。左右対称に行い、肺尖部から下肺野まで鎖骨や肋骨を避けた鎖骨上や肋間で行います。
- 次に患者に背中を向けてもらい、肺尖部から下肺野まで肩甲骨や肋骨を避けた肋間で左右対称に行います。
- 被打診指を肋間に密着させて打診します。右肺尖部は母指を被打診指にします。

正常な胸部打診音の分布

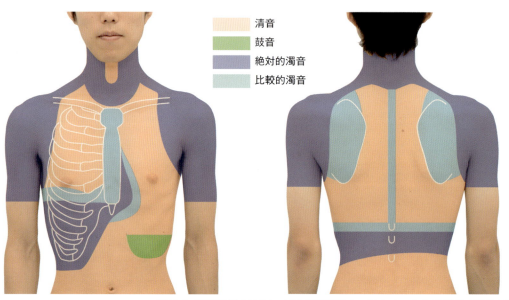

凡例：清音／鼓音／絶対的濁音／比較的濁音

岡安大仁：呼吸器の所見のとりかた. p59（日野原重明編：フィジカルアセスメント, 医学書院, 2006）より

正常
- 肺野：共鳴音
- 心臓部・肝臓部・骨部：濁音

異常
- 肺野：濁音、鼓音
  * 無気肺・胸水・血胸⇒肺の含気量が低下して濁音となる
  * 気胸、肺気腫⇒肺の含気量が増加して鼓音となる

横隔膜の可動域の推定

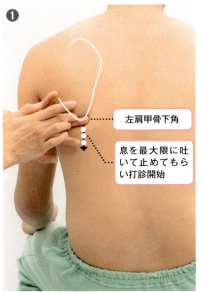
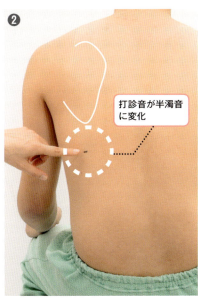
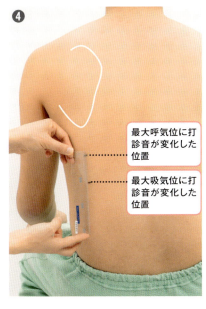

肺野と横隔膜では打診音が違うことから、最大呼気位・最大吸気位で息を止めてもらい打診し、横隔膜の可動域を推定します。

❶ 患者に座位で背中を向けてもらい、左肩甲骨下角から左肩甲骨線を視認します。患者に思い切り息を吐いたところで呼吸を止めてもらい、肩甲骨角の下から肩甲骨線上を腰部に向かって打診します。

❷ 共鳴音から半濁音に変わる位置を同定し、印をつけます。患者に呼吸をしてもらいます。

❸ 続いて、息を最大限に吸ったところで呼吸を止めてもらい、印をつけた位置から肩甲骨線上を腰部に向かって打診し、共鳴音から半濁音に変わる位置を同定し印をつけます。

❹ 2つの印の距離を測定します。この測定値が横隔膜可動域の推定距離です。

正常
- 横隔膜可動域：4〜7cm
  肺の下界は第10胸椎棘突起で、最大吸気時には第12胸椎棘突起まで下降

異常
- 横隔膜可動域：小さく、最大呼気位の下部肺境界の位置が低下
  ⇒肺過膨張（COPD）が考えられる
- 横隔膜可動域：小さく、横隔膜の位置が上昇
  ⇒無気肺・横隔神経麻痺などが考えられる

CHAPTER 2

呼吸器系の聴診

聴診により呼吸音を聴き分けることで、気管・気管支の気流の状態、気道の分泌物増加や気道閉塞などを知ることができます。
聴診時点の状態と以前の状態と比較して、変化をアセスメントすることも大切です。

聴診の留意点

- 聴診器の選択：基本的に膜面を用います。肺尖部の聴診や、痩せて聴診部位がくぼんでいる場合はベル面を使います。
- 聴診部位：骨の上は避け、前胸部では肋間、背部では肩甲骨を避けた肋間に聴診器を当てます。
- 呼吸音：患者に深呼吸をしてもらい、聴診器を当てた部位で呼気と吸気の両方を聴きます。

聴診部位と一般的な聴診順序

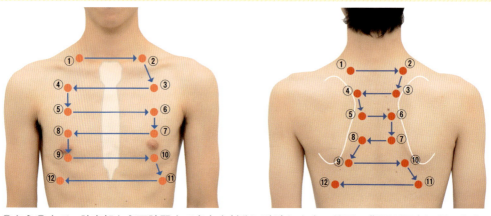

①から⑫まで、肺尖部から下肺野までを左右対称に聴診します。前面・背面の両方に行います。

STUDY 呼吸音の分類

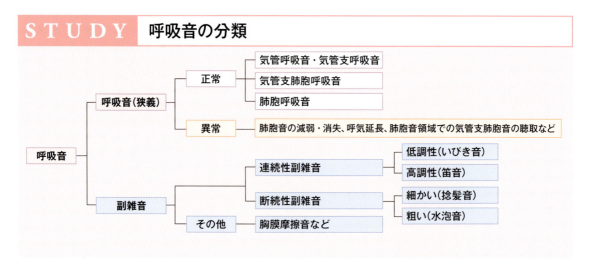

フィジカルアセスメントの実際

聴診の仕方

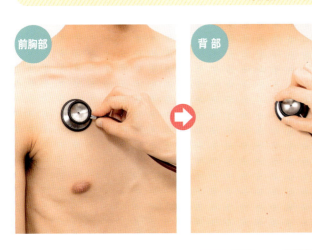

❶ 患者に座位になってもらいます。
座位がとれない場合は仰臥位、側臥位を組み合わせて行います。

❷ 前胸部を左右対称に、肺尖部から下肺野まで鎖骨や肋骨を避けた鎖骨上や肋間に聴診器を当てていきます。

❸ 患者に背中を向けてもらい、背部を左右対称に、肺尖部から下肺野まで肩甲骨や肋骨を避けた肋間で聴診します。

| 正常 | ● 呼吸音：減弱や喘鳴なし
　各聴診部位の正常呼吸音が聴こえる |
| 異常 | ● 呼吸音：減弱と消失
● 副雑音の聴取 |

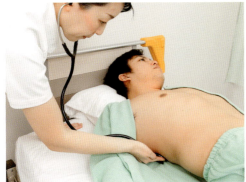

座位での呼吸音聴診が困難な場合、肺の下葉では誤嚥性肺炎などの病変が生じやすいので、仰臥位のままマットを押し下げ、患者に苦痛を与えないように聴診器を背部に当てて聴診します。

POINT

■ 基本的に膜面を当てて聴診し、くぼんでいる肺尖部などはベル面を当てます。
■ 背部の聴診では、前胸部でほとんど聴診できない両下葉の呼吸音を聴くことができます。
■ 長期臥床患者は背側に痰が貯留しやすく、誤嚥した分泌物は気管支の解剖学的特徴から右肺に流れ込みやすい特徴があり、下葉の呼吸音の観察は重要です。

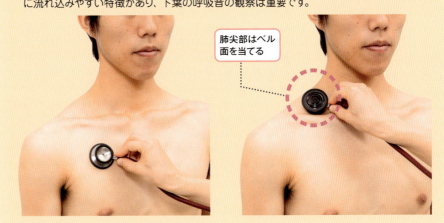

肺尖部はベル面を当てる

CHAPTER 2

STUDY 聴診部位別の正常呼吸音

2-8

胸部・背部の聴診にあたっては、部位ごとの正常呼吸音を理解しておくことが必要です。正常音と比べることで、異常音を判別することができます。

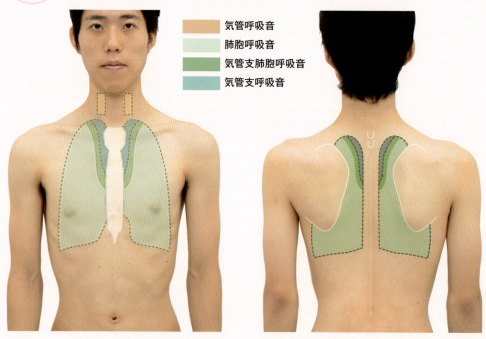

- 気管呼吸音
- 肺胞呼吸音
- 気管支肺胞呼吸音
- 気管支呼吸音

岡安大仁：呼吸器の所見のとりかた. p63(日野原重明編：フィジカルアセスメント. 医学書院, 2006)より

正常呼吸音（4つ）の聴こえ方

気管呼吸音	● 頸部で気管の側方に聴診器の膜面を当てて呼吸音を聴く ● 吸気と呼気に強いヒューヒューという音が聴こえる ● 吸気と呼気の長さの比率は、ほぼ1:1
気管支呼吸音	● 気管呼吸音と気管支肺胞呼吸音の間で聴こえる ● 気道の空気の乱流で生じる ● 呼吸音は高く長く、吸気と呼気の強さの比率は1:3
気管支肺胞呼吸音	● 胸骨に近い肺野、特に肺尖部と肩甲骨間部で聴こえる ● 音の性質は肺胞呼吸音よりやや高く、やや長い
肺胞呼吸音	● 肺野で聴こえる ● 吸気の呼吸音は、気管支から末梢気管支、肺胞へと空気が入り肺胞内で渦流が生じて発生する ● 呼気の呼吸音は、肺胞や末梢気管支内の空気が、より太い気管支の分岐部を通って流れ出る時に発生する ● 主に吸気の呼吸音が聴き取れ、吸気と呼気の長さの比率は3:1

―：吸気
―：呼気

CHECK! 呼吸音の異常（1）—呼吸音の減弱・消失！

- 呼吸音が聴こえない
- かすかにしか聴こえない

呼吸音の減弱・消失！

考えられる要因
- 気胸や胸水貯留で呼吸音の伝達が阻害され呼吸音が減弱
- 肺がんや異物による気道閉塞で無気肺が生じ、呼吸音が減弱・消失
- 肺気腫では呼吸換気速度の低下と、気腫肺での音の伝達が阻害され呼吸音が減弱
- 疼痛や筋力低下により換気量が低下し、呼吸音は小さくなる

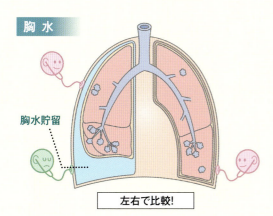

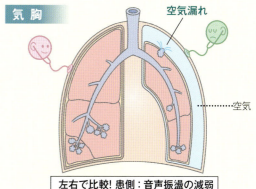

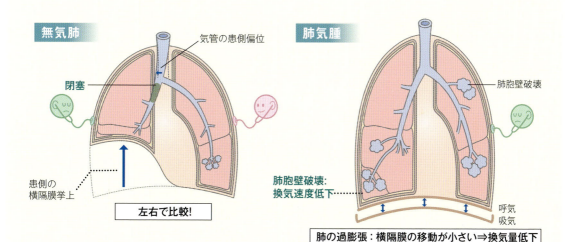

 呼吸音：聴こえる　　呼吸音：聴こえにくい、聴こえない

CHECK! 呼吸音の異常（2）―連続性副雑音

> グーグーという低調性の連続性副雑音

いびき音(rhonchi)！

考えられる要因
- 太めの気道で乱流が生じて聴こえる
- 硬い分泌物がある時や、気管支壁が肥厚して狭くなった時に呼気で聴こえることが多い
- 気道異物・痰・気道狭窄・肺がんなど

> ピーピーという高調性の連続性副雑音

笛音(wheeze)！

考えられる要因
- 細い末梢気道で乱流が生じて聴こえる
- 硬い分泌物がある時や、末梢気道に狭窄がある時に呼気で聴こえることが多い
- 気管支喘息など

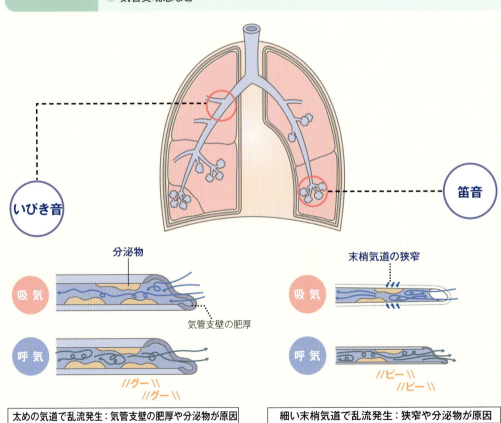

CHECK! 呼吸音の異常（3）—断続性副雑音

　プツプツという細かく小さい断続性副雑音

捻髪音（fine crackle）!

考えられる要因
- つぶれた末梢気道が吸気で急激に開いた時に聴こえる
- 吸気後半に聴こえることが多い
- サルコイドーシス、軽度心不全、肺水腫、肺炎、肺線維症、特発性間質性肺炎、石綿肺、過敏性肺臓炎など

　ブリブリ、バチバチという粗く大きい断続性副雑音

水泡音（coarse crackle）!

考えられる要因
- 主に細い気管支や肺胞内に張った液体膜が、呼吸で破裂する時に聴こえる
- 呼気・吸気の両方で聴こえるが、吸気前半で聴こえることが多い
- 気管支拡張症、肺炎、慢性気管支炎、肺水腫など

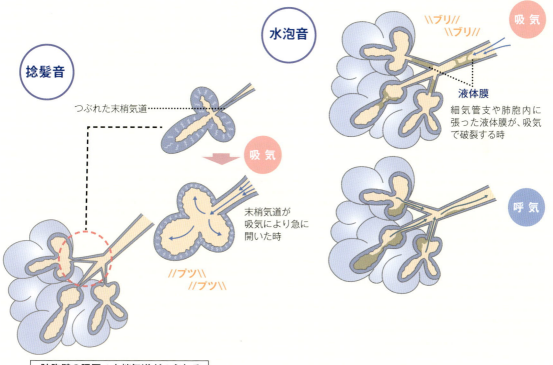

CHAPTER 2

呼吸器系:フィジカルアセスメントの内容と進め方

問診	基礎情報	喫煙歴:喫煙開始年齢、1日の本数×喫煙年数、禁煙の試み、受動喫煙など 生活歴:生活環境(自宅周辺・自宅内の階段など)、アレルギーの有無、ペットの有無、いびき、体重の変化など 職業歴:職業と職場環境での有害物質暴露の有無など 家族歴:結核、喘息など
	既往歴	心疾患、呼吸器疾患、手術歴など
	現病歴	発症から現在までの経過
	呼吸器に関する情報	胸痛、呼吸困難(息切れする生活動作、程度)、発熱、咳・痰、喀血
視診	体位	起座呼吸の有無
	胸郭と脊柱の外観	樽状胸、漏斗胸、側彎症の有無など
	呼吸状態	呼吸の型:胸式呼吸、腹式呼吸、胸腹式呼吸、努力呼吸、呼吸数、呼吸リズム、呼吸の深さ
	手指・口唇	チアノーゼ、バチ状指
	咳嗽	喀痰　　　　喀血
触診	皮下気腫・圧痛の有無	
	胸郭の可動性	
打診	胸郭(肺部)	
	横隔膜可動域の推定	
聴診	呼吸音	正常呼吸音、異常呼吸音、呼吸音の減弱・消失、副雑音

CASE 呼吸器系：事例

63歳・男性/外出時に階段を上ろうとして息苦しくなり、動けず、受診

63歳・男性　息苦しさなどで緊急外来

自覚症状
3か月ほど前に風邪をひき、市販の風邪薬を飲んだが、咳・痰が続いていた。階段で動けなくなり、一緒にいた家族が心配し、受診

フィジカルアセスメントの思考過程

- 慢性の咳と痰、呼吸困難があり、下気道での炎症あるいは腫瘍性の疾患が考えられる。長年の喫煙歴があり、慢性の炎症は生じやすい。
  胸痛はないが、リズム不整があり、循環器系に関する健康問題がある可能性がある。
  長期間、咳・痰などの自覚症状があっても受診しなかったことから、健康に対する考えについても徐々に聴いていく

問診

基本情報
- 63歳・男性、身長170cm、体重96kg
- 喫煙60本/日×40年、ビール・ウイスキー水割り2〜3杯/日、食事2回/日
- 運動はゴルフを1〜2回/月、自営業で付き合いが多い
- アレルギーなし
- 建築業、兄が40年前、結核で亡くなっている

呼吸器に関する情報
- 慢性の咳・痰、階段を上ると息苦しい、MRCでGrade3、胸痛なし

バイタルサイン
- BT=37.7℃、P=112回/分・リズム不整あり、R=28回/分、BP=176/90mmHg

既往歴
- 糖尿病7年前に指摘、教育入院の経験あり、食事1,800kcal、経口血糖降下剤内服中

- 軽度の努力呼吸がみられ、労作時に呼吸困難が増強したと考えられる。SpO_2が92%で低酸素血症の状態に移行しやすい。黄色痰がみられ炎症性の疾患が考えられる

視診
- 体位：異常なし
- 胸郭と脊柱の外観：変形なし
- 呼吸状態：胸腹式呼吸。吸気時に胸鎖乳突筋の収縮がみられる、呼吸は浅い、呼気がやや延長。経皮的動脈血酸素飽和度(SpO_2)：92%
- 手指・口唇：チアノーゼやバチ状指なし
- 咳嗽：湿性咳嗽あり
- 喀痰：黄色痰少量
- 喀血なし

触診
- 皮下気腫なし、圧痛なし
- 胸郭の可動性：左右差なし

打診
- 右下肺野で濁音、横隔膜可動域は約6cm

聴診
- 右下葉で気管支呼吸音と水泡音聴取

- 右下葉に病変があると考えられる

- 右下葉に分泌物の貯留が生じているととらえられる。呼吸音の減弱はないため、無気肺や気胸、胸水貯留の可能性は低い

結論
下気道で何らかの炎症性の変化が生じていると考えられる。痰が3か月続いており、喫煙も長期間であることから慢性的な炎症性の変化である可能性が高い。労作時に呼吸困難がみられ、また、SpO_2が低いことから低酸素血症が生じやすい。安静度を医師に相談し、活動負荷が大きくならないようにする。
また、痰の貯留による酸素化の障害が生じないよう気道クリアランスを高める必要がある。循環器系に関するフィジカルアセスメントも必要である。

CHAPTER 2 フィジカルアセスメントの実際

見る・聴く・嗅ぐ・味わう・触れる・話す

見る、聴く、嗅ぐ、味わう、触れるといった感覚器の症状は主観的訴えが中心となりますが、さらに身体診察を行って症状を把握し、緊急性の有無などを判断していく必要があります。また、障害を持つ方の日常生活援助のレベルを把握するためにも、自覚症状、健康歴、個性、ライフサイクルなどを合わせて考慮していくことが大切です。

観察項目

見る
- 自覚症状
- 外眼部
- 眼球結膜・眼瞼結膜・眼球・瞳孔
- 視力
- 対座視野
- 眼球運動・眼振
- 眼底(眼底鏡)

KEYWORD
眼の外観・動き、視野、対光反射、眼底を確認

聴く
- 自覚症状
- 耳介とその周辺部
- 外耳道・鼓膜(耳鏡)
- 聴力

KEYWORD
耳の外観・外耳道・鼓膜の観察、聴力検査

嗅ぐ
- 自覚症状
- 鼻全体
- 副鼻腔

KEYWORD
鼻・副鼻腔の視診・触診・打診

味わう
- 自覚症状
- 口腔内(粘膜・歯・唾液腺)

KEYWORD
口腔内の視診

触れる
- 自覚症状
- 皮膚感覚
- 顔面神経
- 副神経

KEYWORD
触覚、痛覚、顔に関する神経の観察

話す
- 自覚症状
- 失語症
- 記憶力
- 失見当識
- 精神状態

KEYWORD
会話から、意識レベル・構音障害を観察

STUDY 中枢神経と末梢神経

神経系は、中枢神経と末梢神経に大きく分けられます。

● **中枢神経**
中枢神経は、脳と脊髄からなり、運動、感覚、自律神経機能など、身体の諸機能を総合・制御します。脳のなかには、運動や記憶、思考、感情などを司る大脳、運動や平衡感覚を司る小脳、体温調整を司る間脳、呼吸や心臓の運動などを司る延髄があります。脊髄は、脳と末梢神経の中継点です。

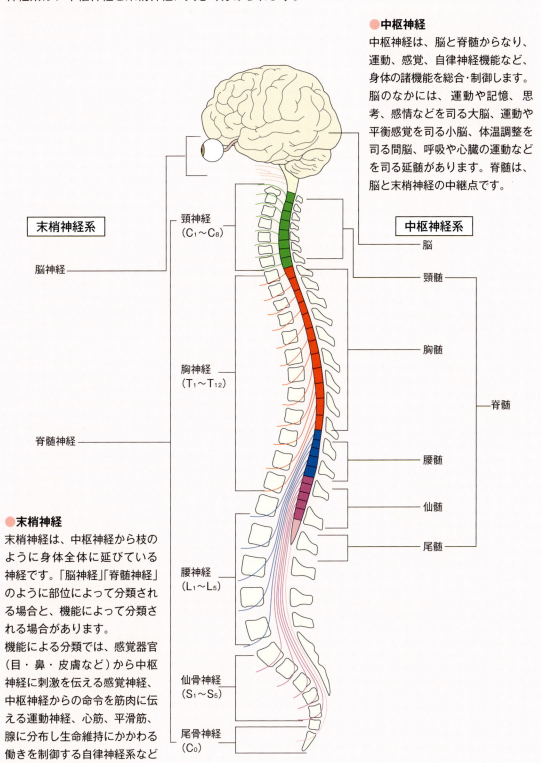

● **末梢神経**
末梢神経は、中枢神経から枝のように身体全体に延びている神経です。「脳神経」「脊髄神経」のように部位によって分類される場合と、機能によって分類される場合があります。
機能による分類では、感覚器官（目・鼻・皮膚など）から中枢神経に刺激を伝える感覚神経、中枢神経からの命令を筋肉に伝える運動神経、心筋、平滑筋、腺に分布し生命維持にかかわる働きを制御する自律神経系などがあります。

CHAPTER 2

STUDY 感覚器と12対の脳神経

眼・耳・鼻・口などの感覚器は、12対の脳神経の働きが関係しています。
また、頭位の保持や、肩の上下運動は胸鎖乳突筋の働きであり、これも脳神経が司っています。

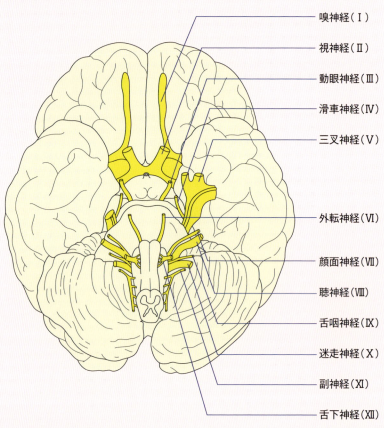

名　称	機　能
Ⅰ　嗅神経	嗅覚
Ⅱ　視神経	視覚
Ⅲ　動眼神経	外眼筋（4つ）、内眼筋
Ⅳ　滑車神経	外眼筋（1つ）
Ⅴ　三叉神経	口腔・鼻腔・顔面知覚、咀嚼筋
Ⅵ　外転神経	外眼筋（1つ）
Ⅶ　顔面神経	表情筋・唾液腺・涙腺・味覚
Ⅷ　聴神経	聴覚・平衡感覚
Ⅸ　舌咽神経	唾液の分泌、嚥下運動、味覚
Ⅹ　迷走神経	咽頭・喉頭・胸腔・腹腔内臓の運動、知覚、発声、嚥下運動
Ⅺ　副神経	僧帽筋・胸鎖乳突筋
Ⅻ　舌下神経	舌の知覚・運動

STUDY 大脳皮質の機能局在

大脳皮質は、部位によって異なる特定の機能（局在機能）を持っています。

部 位	機 能
前頭葉	意欲、判断、感情などの精神活動、運動などの機能
頭頂葉	感覚情報の統合
側頭葉	記憶や言語と、それらの認識
後頭葉	視覚とその認識

中心溝の前後には、中心前回と中心後回があります。
中心前回は運動中枢である運動野の、中心後回は感覚中枢である感覚野の領域で、下図のように各部位を支配しています。

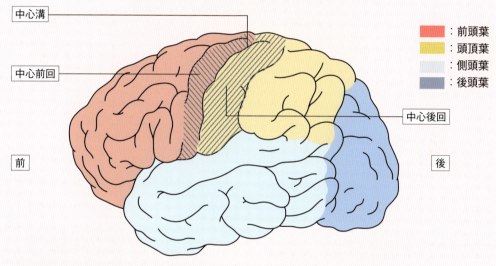

運動野と感覚野の体部位局在

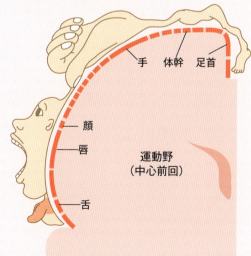
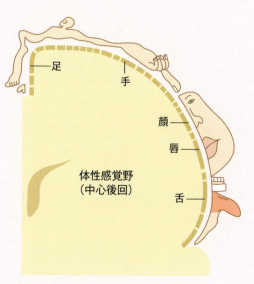

CHAPTER 2

見る

人間は情報の多くを「見る」ことから得ています。「見る」機能の変化は、全身機能に影響を与え、生活にも変化をもたらします。本項では「見る」機能の観察法を解説します。

STUDY　眼の解剖と視覚

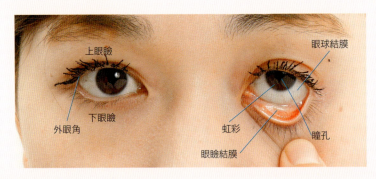

●**見えるしくみ**

ものを「見る」というしくみはカメラと似ています。まず、見ようとするものを光の情報としてとらえます。光が角膜を通ると、虹彩はカメラの絞りのように光の量を調節し、角膜・水晶体はレンズの役目を果たします。

眼球の断面図

網膜に明瞭な像を投影するため、水晶体の厚みを変え、屈折率を変化させます。そして網膜から視神経（Ⅱ）を介して脳に伝達します。

眼球を動かす筋肉

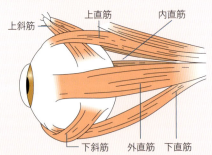

外眼筋は上・下直筋、内・外直筋、上・下斜筋の6種類からなり、脳神経の動眼神経（Ⅲ）、外転神経（Ⅵ）、滑車神経（Ⅳ）に支配され、眼球運動に関与します。

視機能の問診

- **自覚症状**：見え方（見えにくい、視野が欠ける、物が2重に見える、斑点や浮遊物が見えるなど）、眼痛、掻痒感、乾燥の有無、分泌物の変化、異物感、眼精疲労、腫脹・発赤の有無など
- **視力の変化**：発生・経過
- **その他**：視力矯正の有無（眼鏡・コンタクトレンズ）、随伴症状、既往歴（高血圧・糖尿病・緑内障・白内障など）、家族歴

フィジカルアセスメントの実際

眼の視診・触診

2-11

❶ 眼の症状が、構造による問題なのか、神経の問題なのかを判断して観察項目を限定していくことが大切です。
まず、外眼部を観察します。

| 観察項目 | ● 視診：眼の大きさや形・左右差、眼瞼・眼瞼周囲の浮腫、眼瞼下垂、閉じ具合、眼瞼振戦、睫毛がそろっているか
● 触診：眼瞼の腫瘤、圧痛の有無 |

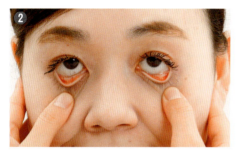

❷ 眼瞼結膜、眼球結膜、虹彩、角膜、水晶体を観察します。

| 観察項目 | ● 眼瞼結膜：充血・色調・浮腫・異物・分泌の有無など
● 眼球結膜：黄染・充血・出血の有無など
● 虹彩：色調、左右差の有無など
● 角膜：混濁の有無など
● 水晶体：混濁の有無など |

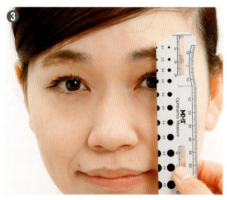

❸ 自然光（室内灯）の下で遠くを見つめてもらい、片眼ずつ計測します。瞳孔計の黒半丸を瞳孔に重ねるように当て、瞳孔の大きさを測定します。

| 観察項目 | ● 瞳孔：正円かどうか
● 瞳孔径は何mmか
● 左右差（瞳孔不同の有無） |

❹ 向かい合って座り、まっすぐ前を見てもらい、両眼の眼球の位置が同じ方向を向いているか確認します。また、30〜40cm離れたところからペンライトを当てて光を見てもらい、両眼とも瞳孔の中の同じ位置に光が当たっているかを観察します。
両眼の同じ位置に光が入っていれば正常です。片側が瞳孔から外れている場合は斜視です。

| 観察項目 | ● 眼球の位置：斜視の有無 |

CHAPTER 2　見る・聴く・嗅ぐ・味わう・触れる・話す

CHAPTER 2

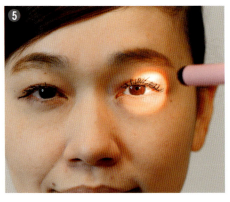

❺ ペンライトの光を眼の外側から内側へと水平に移動させます。光が当たった瞬間に瞳孔が縮小するかを、すばやく確認します。

観察項目
- 瞳孔：対光反射の有無
  ★ 直接対光反射
  ⇒ 光を当てた側の瞳孔が縮小
  ★ 間接対光反射
  ⇒ 光を当てていない側の瞳孔も縮小

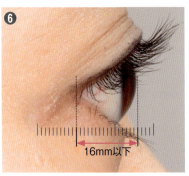

❻ 眼球を側面から見て、眼球突出の有無を観察します。外眼角から角膜頂点までの長さが16mm以下ならば、眼球突出はありません。

観察項目
- 眼球突出の有無

STUDY　対光反射のしくみ

眼に光が当たると、瞳孔が縮小します。これを対光反射といいます。
対光反射には、光を当てた側の瞳孔が縮小する「直接対光反射」と、光を当てていない側の瞳孔が縮小する「間接対光反射」があります。

網膜に入った光刺激は、視神経を通って中脳にある両眼の動眼神経副核（Edinger-Westphal核：E-W核）に至ります。さらにE-W核から起こる副交感神経線維を通して、毛様体神経節、瞳孔括約筋に刺激が伝わり、瞳孔が縮小します。

一側で受けた光刺激は、視交叉で分かれ両眼のE-W核へと伝わるので、片方の目に光を当てていなくても両方の瞳孔が縮小します。

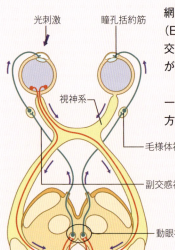

正常

- **外眼部**：眼瞼浮腫・腫脹・腫瘤なし、発赤・痛みなし、瞼は最後まできちんと閉じる。眼瞼結膜はピンク色であり、眼瞼下垂なし
- **眼球**：眼球突出なし、眼球結膜は白色、眼球が同じ方向を向いている
- **その他**：瞳孔は円形、サイズは2.5〜4mm、左右同じサイズ、直接対光反射、間接対光反射がある。虹彩の色線は均等な放射線状、水晶体は白濁なし、角膜は透明で光沢があり傷がない

異常

【外眼部】
- 眼瞼浮腫：体内に水分が貯留（眼瞼は皮膚が薄いため、現れやすい）
- 瞼が完全に閉じない：眼球突出・顔面麻痺の可能性あり
- 眼瞼結膜の赤色が薄い：貧血
- 眼瞼下垂：視神経異常や重症筋無力症の可能性

【眼球】
- 眼球突出：バセドウ病、脳腫瘍
- 眼球結膜充血：感染、アレルギー
- 眼球黄染：肝臓や胆嚢疾患が疑われる（写真）

- 斜視：眼球を動かす筋肉や神経の異常、強度の遠視

斜視の種類（右眼が正常位置の場合）

内斜視

外斜視

上斜視

下斜視

【その他】
- 瞳孔の大きさ
  - ・左右差がみられる＝瞳孔不同（左右差0.5mm以上）
    ⇒動眼神経障害、脳ヘルニアの疑い
  - ・縮瞳（瞳孔径≦2.0mm）⇒頭蓋内圧亢進、脳幹障害、橋出血、アルコールや薬物中毒、モルヒネ中毒、交感神経障害
  - ・散瞳（瞳孔径≧5.0mm）⇒中脳障害、心停止
- 対光反射なし：脳腫瘍・脳梗塞・脳出血による視神経（Ⅱ）、動眼神経（Ⅲ）の障害が疑われる
  * 白内障の場合、水晶体の白濁があり、対光反射があっても確認しにくいことがある
- 腫脹・痛み：感染の可能性

視力の観察

スクリーニングとして書類などの文字を指して読んでもらい、日常生活に必要な視力が保たれているか確認します。

CHAPTER 2

対座視野

脳に障害があると、視野の外側半分が欠けて見えることがあります。例えば食事の際、外側半分の料理に全く手をつけないといった症状として観察されます。対座視野を観察することにより、視野欠損の有無と部分を特定します。
正確な評価が必要な場合は、視野計による精査が行われます。

右上

左上

右下

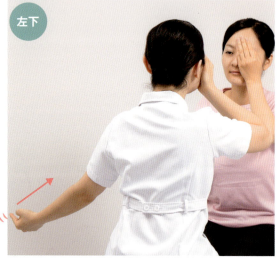
左下

❶ 患者と看護師は、肩に手が届く距離（約60cm）に向かい合って座り、眼の高さを合わせて、互いに相手の眼を注視します。

❷ 看護師も患者も同側の眼を手で覆います（患者が右眼なら、看護師は左眼）。看護師は示指先端を細かく動かしながら、視野の外から内へと近づけていきます。
指先の位置は、看護師と患者の距離の中間点になるようにします。

❸ 患者に指先が見えたところで合図をしてもらい、患者と看護師の静視野＊を比較します。右上下、左上下と4回行います。

＊ 静視野：眼球を動かさずに、対座する相手の眼を注視した状態の視野

正常	● 検者と同じ範囲が見える
異常	● 検者よりも視野が狭い場合は、視神経の障害だけでなく、緑内障、網膜剥離なども考えられる

フィジカルアセスメントの実際

眼球運動・眼振の観察

2-12

眼の前で左右上下に動くものを、眼球を動かして追うことができるかどうかを確認します。

右

左

上

下

❶ 患者の正面約50cmのところに示指を置き、顔を動かさず眼だけで指先を追うように指示します。

❷ 4方向（上下・左右）に示指を動かします。端で数秒間指を静止させ、眼球運動の異常・眼振の観察と複視（ものが2重に見える）の有無を聴きます。

観察項目
- ゆっくり左右上下に動くものを両眼で同じように追えるかどうか
- 眼球運動の異常、眼振、複視の有無を確認

動眼（Ⅲ）・滑車（Ⅳ）・外転（Ⅵ）神経の働き

動眼（Ⅲ）神経	眼球を上・下・内側に動かす 瞳孔を収縮させる 眼瞼を開かせる ＊閉じさせるのは顔面神経
滑車（Ⅳ）神経	眼球を内側下方へ動かす
外転（Ⅵ）神経	眼球を外側へ動かす

正常
- 眼球運動：両眼共に顔を動かさず、両眼が共同して指先を追える
- 眼振：なし。ただし、極端に側方を向くとわずかな眼振が見えることもあるが、すぐに停止（生理的なもの）
- 複視：なし

異常
- 指先を眼で追えない。両眼が共同して指先を追えない（複視、眼振、共同偏視など、詳しくはp116参照）
  ⇒眼球運動障害は、動眼（Ⅲ）、滑車（Ⅳ）、外転（Ⅵ）のいずれかの神経に障害がある場合に起こる

CHAPTER 2 見る・聴く・嗅ぐ・味わう・触れる・話す

CHAPTER 2

眼底鏡による眼底の診察

臨床では、医師が眼底鏡を用いて視神経乳頭、網膜、動静脈の異常を観察します。患者の右眼は検者の右眼で見ます。反対も同様に見ていきます。

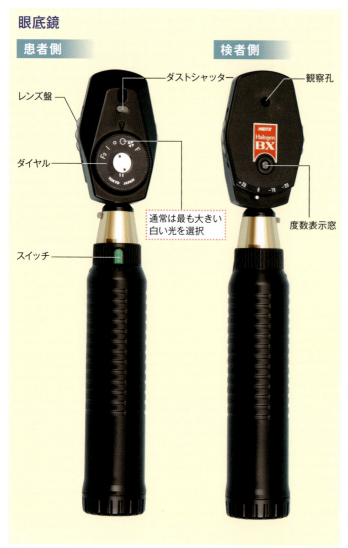

眼底鏡

患者側
- レンズ盤
- ダイヤル
- スイッチ
- ダストシャッター
- 通常は最も大きい白い光を選択

検者側
- 観察孔
- 度数表示窓

❶ スイッチを入れ、前面（患者側）のダイヤルを回して光量を選択します（通常は最も大きい白い光を選択）。

❷ 観察孔をのぞき込み、自分の手や本などを見つめ、自分の視力に合うようにレンズ盤でピントを合わせます。

❸ 患者に目的と方法を説明し、眼鏡やコンタクトレンズを使用している場合は外してもらいます。
眼底は瞳孔が開いていたほうが見やすいので、できるだけ部屋を暗くします。

POINT
- 臨床では、眼底検査は医師により行われます。

フィジカルアセスメントの実際

❹ 患者には椅子に座り、まっすぐ前を向いて正面の壁など遠くを見つめてもらいます。

❺ 検者と患者と同側の眼（患者が右眼なら検者は右眼）で検査します。手で患者の頭部を固定し、眼底鏡をのぞきながら、患者の瞳孔に光を入れます。

❻ 赤色反射（瞳孔内が赤く見える）で光が正確に入ったことを確認します。

❼ 頭部を固定したまま、しっかりと近づいて血管を探します。

❽ 血管がはっきり見えるようにレンズを再度調整し、眼底を観察します。

POINT
- 頭部をしっかりと固定し、患者に近づいて血管を探します。

正常な眼底

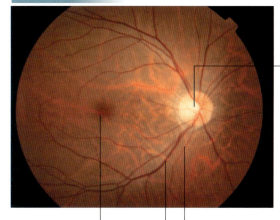

― 視神経乳頭（視神経や血管が眼球から出入りしている）

黄斑部（ものを見る中心。視細胞が集中している）
網脈動脈
網脈静脈

観察のポイント
- 視神経乳頭を見つけ、視神経乳頭境界線がはっきりしているか、辺縁の鮮明度、出血や混濁の有無、色素沈着の有無、血管の色・太さ、網膜全体の色・出血・白斑・剥離の有無を観察する

正常
- 網膜は褐色、出血・剥離なし
- 動静脈は狭窄・閉塞・蛇行なし
- 視神経乳頭の色は淡褐色、混濁・出血・浮腫なし。赤い反射がある

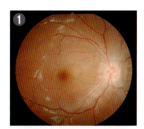
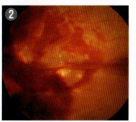
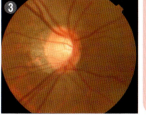

異常
- うっ血乳頭：乳頭が隆起・充血している場合、頭蓋内圧の亢進が考えられる（写真❶）
- 眼底出血：糖尿病性網膜症が疑われる（写真❷）
- 陥没乳頭：乳頭が正常より陥凹して見える場合、緑内障が疑われる（写真❸）

CHAPTER 2

CHECK! 視神経交差と視野欠損

右眼・左眼の視神経は、交差して大脳皮質視覚領に到達します。このため、障害部位が視神経交差の前か後かによって、視野欠損の違いが現れます。

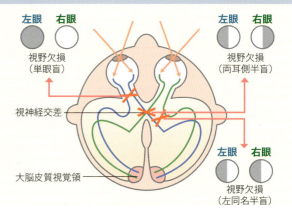

CHECK! 半側空間無視

半側空間無視とは、自分が意識して見ている空間の片側を認識できない症状をいいます。具体的な症状としては、片側の食物を残す、片側にぶつかる、車椅子や歩行の際に片側に寄っていくなどがあげられ、本人が自覚していないことが多いです。

眼で見た画像は、網膜で視神経信号となり、視覚情報として脳に送られます。右眼からの視覚情報は左脳で、左眼からの視覚情報は右脳で処理され、認識されます。脳梗塞や外傷などによって左右どちらかの大脳に障害を受けると、眼では見えているのに、脳で視覚情報を処理することができず、半分の空間が認識できない、半側空間無視の状態になります。

CHECK! 眼球運動の障害によって出現する症状

複視（物が2重に見える）	乱視、白内障、網膜疾患、脳血管障害や重症筋無力症など
眼振（目の微細な周期的振動であり、振り子のように規則的に揺れる状態）	前庭機能の異常や脳腫瘍による脳幹部の圧迫
眼位の異常	斜視（p111参照）のほかに、脳卒中では共同偏視（両眼が一方向を見つめる）や内下方偏視など、出血部位によって特徴的な眼位異常が認められる

出血部位	眼位	
被殻（左被殻）		
視床		
橋		
小脳（右小脳）		

聴く

「聴く」機能に変化が起こると、コミュニケーション能力、生活機能に大きな影響を与えます。
本項では、聴力障害、耳の炎症症状などの観察法を解説します。

STUDY　耳の解剖と聴覚

●聴覚
耳は聴覚器であるとともに平衡感覚を司る器官でもあります。大きく外耳・中耳・内耳に区分され、聴覚器としては外耳・中耳・内耳が、平衡感覚には内耳のみが機能します。
音は外耳道を通って鼓膜を振動させ、空気の入った中耳にその振動が伝わります。中耳にはツチ骨・キヌタ骨・アブミ骨の3つの骨があり、まとめて耳小骨と呼ばれます。耳小骨は振動を鼓膜から前庭窓の内側にある内耳の液体に伝え、その液体の振動が聴神経（Ⅷ）を介して音として感じられるのです。

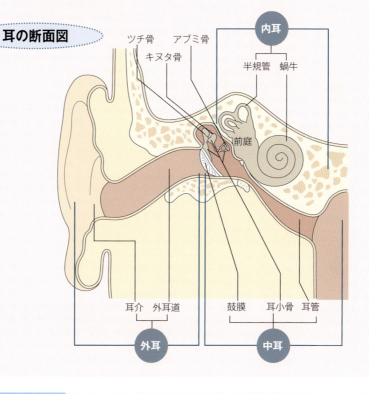

耳の断面図

聴覚についての問診

- 自覚症状：聴こえ方や左右差、耳鳴り、耳痛、耳漏や出血の有無・程度、腫脹・発赤の有無など
- 聴力の変化：発生時期・経過
- 随伴症状：眩暈（めまい）・嘔気・頭痛など
- その他：補聴器使用の有無、既往歴（中耳炎、副鼻腔炎、突発性難聴、高血圧、耳・頭部の手術など）、家族歴

CHAPTER 2

耳の視診・触診

耳介の牽引

耳介周辺の触診

正常	● 耳介の高さや形が左右対称、ピンク色、発赤・腫瘤・耳漏・圧痛がない状態
異常	● 耳介の高さや形が左右非対称、発赤・耳漏・腫瘤・圧痛がある ⇒腫瘍・感染などが考えられる

❶ 耳介及びその周辺を観察し、耳介の大きさ・形・色・滲出液・腫脹の有無を確認します。

❷ 耳介及びその周囲を触診し、耳介の牽引痛、耳介前部・後部の圧痛の有無を観察します。

❸ 視診・触診で異常があれば、耳鏡を用いて外耳道・鼓膜を観察します。外耳道の炎症の有無、鼓膜の色調・構造をみます。

耳鏡による外耳道と鼓膜の視診

耳鏡

❶ 耳鏡のライトがつくか確認し、アダプタを接続します。アダプタは患者の外耳道の大きさに合うもののうち、最も大きいものを選択します。

観察レンズ
スイッチ
アダプタ

フィジカルアセスメントの実際

❷ 外耳道がまっすぐになるように、耳介の上部を軽く引っ張り上げながら頭を少し倒すようにします（成人の外耳道は内側下方向に向かっているため）。

❸ ライトをつけ、グリップを握り、握った手を一部患者の皮膚につけ、固定させてからゆっくりと耳鏡を挿入します。

❹ 産毛の状態や耳垢の性状・量に注意しつつ、外耳道の皮膚を観察します。耳垢で外耳道がふさがっている場合は、綿棒などで取り除いてから観察を続けます。

❺ 外耳道を奥までたどっていくと、内耳側にへこんだ円形の薄い膜である鼓膜が見えてきます。色と性状を観察します。

❻ 鼓膜の観察後、ゆっくりと耳鏡の角度を変えて外耳道を観察します。

観察項目	外耳道：皮膚の傷、発赤、異物、浮腫、出血や耳垢、耳漏（外耳道からの分泌物）の色・性状・量 鼓膜：色・性状
正常	耳道：傷、発赤、異物、浮腫、出血や耳漏がない 鼓膜：パールグレー色
異常	外耳道：発赤や腫脹は炎症、耳漏が膿性の場合は外耳炎や中耳炎 鼓膜：赤い場合は炎症

外耳道からみた鼓膜の構造

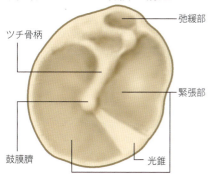

CHAPTER 2 見る・聴く・嗅ぐ・味わう・触れる・話す

伝音性難聴と感音性難聴

難聴には伝音性難聴と、感音性難聴、混合性難聴の3つがあります。

種類	状態	原因
伝音性難聴	外耳に届いた音が蝸牛まで伝わらない、つまり外耳道、中耳の鼓膜、小耳骨など音を振動として伝える気管のどこかに障害があり、聴神経まで音が伝わらない状態	中耳炎、外耳道閉塞、鼓膜裂孔など
感音性難聴	内耳から聴神経を経て、大脳が音として認識するまでに障害がある状態	加齢、メニエール病、突発性難聴、騒音性難聴、薬物の副作用など
混合性難聴	伝音性難聴と感音性難聴の混合	両方の原因

CHAPTER 2

聴力検査

聴力は、まず簡易的な方法で診察し、判断できなければ道具を用いてより複雑な方法へと進めていきます。さらに精査が必要な場合は、オージオメーターなどを用いて聴力検査を行います。

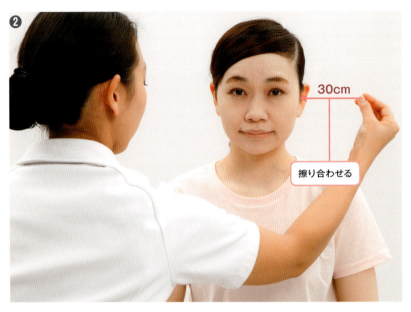

❶ まず、会話からおおよその聴こえ具合を観察します。

❷ 耳から30cmのところから指を擦り合わせ、音が聴こえるかどうかを確認します。
聴こえなければ徐々に近づけ、左右差を確認します。

ウェーバー試験

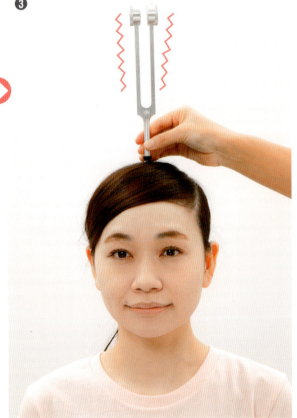

❸ 音叉を振動させて柄を頭頂部中央に当て、聴こえ方に左右差がないかを確認します（ウェーバー試験）。この際、音は骨伝導で左右の耳に均等に伝わります。

リンネ試験

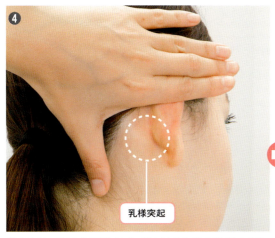

乳様突起

❹ 再度、音叉を振動させて柄を耳後部の乳様突起に当て（骨伝導）、振動音が聞こえなくなったところで合図してもらい、すぐに外耳道から5cm離れた耳前部に音叉の基部を置き、音が聴こえるか確認します（気伝導）。

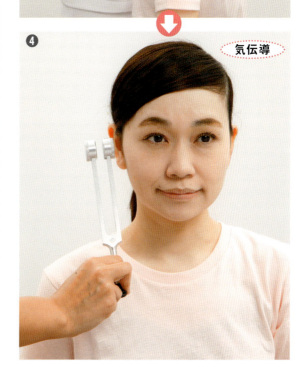

骨伝導

気伝導

正常
- 会話がスムーズで、ウェーバー試験や指こすりの聴こえに左右差がない
- リンネ試験で気伝導による音が聴こえる
- リンネ試験で気伝導時間は骨伝導時間の2倍

異常
- 会話がスムーズでなく、指こすりが聴こえにくい
  ⇒聴覚障害がある
- ウェーバー試験（骨伝導）で左右差がある
  ◆患側耳でより大きく聴こえる
    ⇒伝音性難聴
  ◆健側耳でより大きく聴こえる
    ⇒感音性難聴
  * 伝音性難聴では周囲から入る音が遮断される（気伝導が遮断される）ため、骨伝導の振動音が際立って響き、患側耳で大きく聴こえる
- リンネ試験で骨伝導による音が聴こえなくなったあと、気伝導による音が聴こえない
  ⇒伝音性難聴（リンネ試験陰性）
    外耳道や中耳に障害
- リンネ試験で骨伝導・気伝導ともに弱く聴こえる
  ⇒感音性難聴（リンネ試験陽性）

CHAPTER 2

嗅ぐ

嗅覚に変化が生じると食欲にも影響し、生活に大きな影響を与えます。
本項では、「嗅ぐ」機能と鼻腔、副鼻腔の観察法を解説します。

STUDY　鼻の解剖と嗅覚

●**鼻腔と嗅覚**

鼻は気道の入り口となる器官であり、嗅覚を司ります。
鼻腔の側壁部は上鼻甲介・中鼻甲介・下鼻甲介に分かれます。鼻中隔前端部の外鼻孔付近の粘膜はキーゼルバッハ部位といい、毛細血管が集中しており、鼻出血しやすい部位です。
すべての副鼻腔は鼻腔とつながっており、涙器の鼻涙管や中耳に連絡する耳管も鼻腔に開口しています。
嗅覚器は鼻腔の天井の嗅上皮にあり、臭い物質は吸気に混じって嗅上皮に溶け込み、嗅神経（Ⅰ）を介して脳に伝達されます。

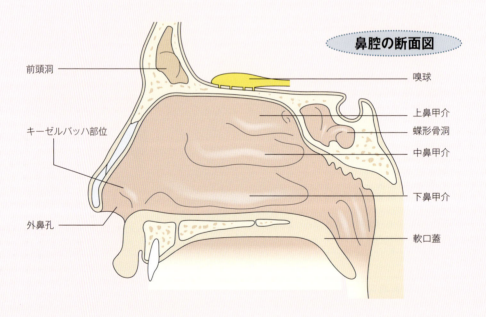

鼻腔の断面図

- 前頭洞
- キーゼルバッハ部位
- 外鼻孔
- 嗅球
- 上鼻甲介
- 蝶形骨洞
- 中鼻甲介
- 下鼻甲介
- 軟口蓋

「嗅ぐ」機能、鼻腔、副鼻腔についての問診

- **自覚症状**：嗅覚の変化・鼻閉の有無・程度、鼻汁の種類・量、鼻出血の有無・量・頻度など
- **既往歴**：手術、外傷、副鼻腔炎、アレルギーなどの有無
- ＊臭いテストは一般的に行われず、問診で臭いを確認することが多い

鼻腔・副鼻腔についての視診・触診・打診

前頭洞の触診

前頭洞の打診

❶ 鼻全体を観察し、発疹・変形・圧痛・鼻出血・鼻漏の有無を確認します。

❷ 副鼻腔(上顎洞・前頭洞)を触診・打診し、圧痛、叩打痛の有無を観察します。

正常
- 鼻腔：左右対称、変形・腫脹なし、鼻中隔が正中、痛みなし、通気性あり、副鼻腔は痛みなし
- 粘膜・鼻甲介：ピンク色、腫脹なし、鼻中隔は穿孔なし
- 鼻汁：無色透明で水溶性、出血なし
- 臭い：判別できる

異常
- 鼻甲介：灰色、黄色、緑色⇒炎症
  腫脹、粘膜が極端に赤い⇒アレルギーなど
  鼻汁が濃い白色、黄色、緑色で、粘性⇒炎症
  鼻汁が極端に水様⇒アレルギー
- 副鼻腔：打診・触診で痛みあり⇒副鼻腔炎
- 臭い：判別できない⇒嗅神経の障害、アレルギー性鼻炎など

POINT
- 嗅覚は個人差が大きく、体調によっても感度が変化します。
- 加齢により嗅覚は減少する場合があります。
- 同じ臭い刺激が続くと「順応(臭いに慣れる)」が起こります。

CHAPTER 2

味わう

食物を味わい、咀嚼し、嚥下する機能は、人間が生命を維持するために欠かせません。「味わい」は食物をおいしく食べるという楽しみの一つでもあります。本項では、「味わい」と咀嚼に関する口腔内の観察法を解説します（嚥下についてはp182参照）。

STUDY 口腔の解剖と味覚

● 口腔と味覚
口腔は味わい、咀嚼し、嚥下するほか、呼吸や発声に関与し、様々な神経、顎関節、舌、歯、唾液腺、口唇、頬、口蓋が共同的に働き、機能します。

味覚は、舌の味蕾が受容器となり酸・塩・甘・苦・うま味の5種類を感知します。

味覚は、舌の前部では顔面神経（Ⅶ）、後部では舌咽神経（Ⅸ）が支配し、喉では迷走神経（Ⅹ）が関与し、橋・視床・大脳皮質の味覚野に伝達されます。

なお、舌の触覚・温痛感覚は舌咽神経（Ⅸ）、運動は舌下神経（Ⅻ）が支配します。

歯は、成人で32本あり、食物を噛み切り、砕き、唾液と混ぜ合わせて、飲み込みやすい形態へと変化させます。

唾液腺は、耳下腺・顎下腺・舌下腺が左右一対に口腔内に開口しており、代表的なものはワルトン管、ステンセン管です。唾液には口腔内を洗浄し、滑らかにする働きがあり、分泌が低下すると細菌が繁殖しやすく、歯や歯肉炎、誤嚥による肺炎を引き起こすリスクが高まります。

なお、口蓋垂を含む嚥下機能を司るのは舌咽神経（Ⅸ）、迷走神経（Ⅹ）です。

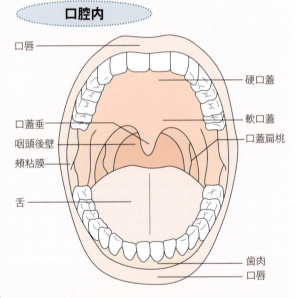

口腔内
口唇／硬口蓋／軟口蓋／口蓋垂／口蓋扁桃／咽頭後壁／頬粘膜／舌／歯肉／口唇

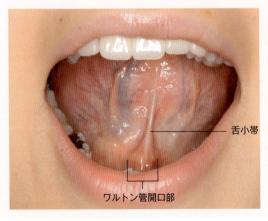

舌小帯／ワルトン管開口部

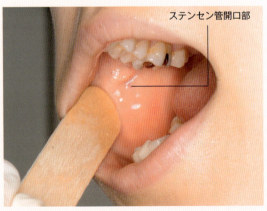

ステンセン管開口部

フィジカルアセスメントの実際

口腔・味覚についての問診

● 自覚症状：口唇・口腔粘膜・歯肉・舌の疼痛・出血・損傷・炎症、歯痛、歯の知覚過敏、う歯、口臭、義歯の使用の有無、味覚の異常、咽頭痛、口腔に関する既往など

口腔内の視診・触診

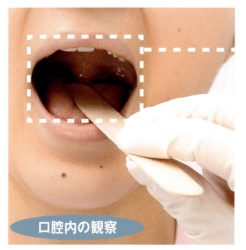

口腔内の観察

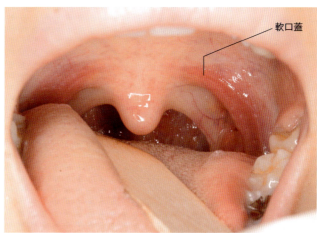

軟口蓋

❶ 手袋を装着し、舌圧子やペンライトを用いて観察します。口唇を観察したら、開口してもらい口腔内の状態を観察します。その際、口を開閉してもらい、動きや音を確認します。

❷ 頬粘膜を観察し、次に頸部を後屈してもらい、硬口蓋・咽頭後壁・軟口蓋・口蓋扁桃・口蓋垂を観察します。さらに、歯・歯肉を観察します。

観察項目

- 口唇：色、潤い、境界が明瞭か、出血や水泡の有無、口角の下垂
- 開口状態：開口・閉口がスムーズか、開口時の音の有無
- 口腔内：頬粘膜・口蓋⇒色、湿潤、発赤、潰瘍、びらん、出血、白斑、出血
  咽頭・扁桃⇒色、発赤、腫脹、大きさが左右対称か
  歯⇒本数、色、う歯、破損やぐらつき、義歯の適合
  歯肉⇒色、湿潤、発赤、腫脹、浮腫、潰瘍、出血、圧痛、白斑

CHAPTER 2 見る・聴く・嗅ぐ・味わう・触れる・話す

CHAPTER 2

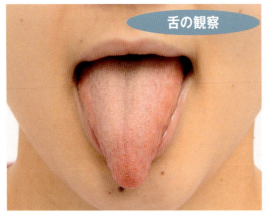
舌の観察

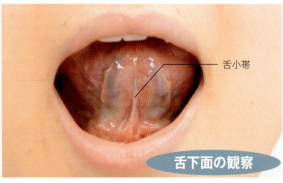
舌小帯
舌下面の観察

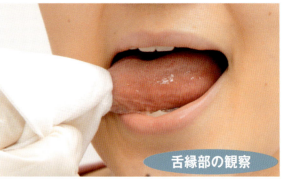
舌縁部の観察

❸ 舌を突き出してもらい、観察します。
次に舌を挙上してもらい口腔底、舌下面を観察します。
舌縁部位はがんの好発部位です。滑らないようガーゼを用いて潰瘍の有無、舌の色を十分に観察します。

| 観察項目 | ● 口腔内：
舌⇒色、湿潤、左右対称で動きがスムーズか、舌苔の有無、腫瘤の有無
唾液腺⇒開口部の発赤の有無 |

| 正常 | ● 口唇：ピンク色、乾燥なく湿潤して滑らか、境界が明瞭、口角の下垂
● 開口状態：開口・閉口がスムーズ、開口時に音がしない
● 口腔内：
　頬粘膜・口蓋⇒ピンク色、湿潤している
　咽頭・扁桃⇒ピンク色、発赤や腫脹なし、左右対称
　歯⇒32本、白～象牙色で光沢がある、破損やぐらつきがない
　歯肉⇒ピンク色、湿潤があり境界が明瞭
　舌⇒ピンク色、湿潤があり、左右対称で動きがスムーズ
　唾液腺⇒開口部の発赤の有無 |

| 異常 | ● 口唇：蒼白またはチアノーゼ、乾燥、亀裂、腫瘤、潰瘍、出血
● 開口状態：開口・閉口障害、開口時に痛みがあり音がする（→顎関節症）
● 口腔内：
　頬粘膜・口蓋⇒蒼白またはチアノーゼ、乾燥、発赤、潰瘍、びらん、出血、白斑、出血斑
　咽頭・扁桃⇒発赤、腫脹、肥大、白斑、出血
　　＊ 白斑→細菌、カンジタ、噛み傷、凍傷など、問題ないものがあるが、扁平上皮がんへの前がん病変とされるものもある
　　＊ 潰瘍→再発性アフタ口内炎、歯肉炎、口蓋扁桃炎（赤く腫れて白色や黄色の分泌物が扁桃の表面に付着する）など
　歯⇒う歯、破損やぐらつきがある、義歯装着時に痛み
　歯肉⇒蒼白、褐色～黒色、発赤、乾燥、腫脹、浮腫、潰瘍、出血、圧痛、白斑
　舌⇒発赤、乾燥、浮腫、舌苔、腫瘤、白斑、左右非対称
　唾液腺⇒開口部の発赤、肥厚、がま腫（唾液腺の閉塞による） |

唾液腺（耳下腺・顎下腺）・下顎の観察

唾液腺の構造

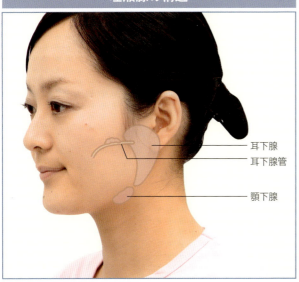

- 耳下腺
- 耳下腺管
- 顎下腺

❶ 耳下腺と顎下腺に炎症や腫脹がないかを調べます。まず、耳下腺を第2・3・4指の指腹を使って触診し、圧痛・腫瘤の有無を観察します。

❷ 顎下腺を第2・3・4指の指腹を使って触診し、圧痛の有無を観察します。

❸ 下顎関節突起の上に手を置いて、口を開閉してもらい、下顎の動きはスムーズか、開閉時に音がしないか、噛み合わせはどうかを観察します。

❹ 患者に口角を上げて「イー」と言ってもらい、口角の左右差を観察します。また、歯を食いしばってもらい、顎に両手を当て、咬筋の左右差を観察します。

❶
耳下腺の触診

❷
顎下腺の触診

❹

正常
- 唾液腺：圧痛・腫瘤がない、口角挙上・咬筋の左右差がない
- 下顎：動きがスムーズ

異常
- 唾液腺：圧痛あり⇒流行性耳下腺炎が予想される
  腫瘤あり⇒多形腺腫、悪性腫瘍（自発痛や顔面神経麻痺）が予想される
- 下顎：動かす際に痛みがある、音がする、動きがガクガクする ⇒顎関節症
- 口角：左右差あり⇒顔面神経麻痺（ヘルペスウイルスの感染、耳下腺腫脹など）
- 咬筋：左右差あり⇒三叉神経の障害（多発性硬化症、脳腫瘍、脳卒中など）

CHAPTER 2

触れる

皮膚や筋肉、関節などに分布する体性感覚は、表在感覚と深部感覚に分けられます。表在感覚とは、皮膚や粘膜に分布する受容器が感知する、触覚、温覚、冷覚、痛覚、圧覚の感覚などをいいます。深部感覚とは骨、関節、筋肉に分布する受容器が感知する位置覚、振動覚、運動覚などをいいます。表在感覚に異常があると、外傷や熱傷、凍傷に気づかないといった危険性が生じます。本項では、表在感覚の観察法について解説します。

STUDY 皮膚感覚と神経・脊髄

●皮膚感覚

皮膚感覚には痛覚・触覚・圧覚・温覚・冷覚があります。感覚に異常がある場合は神経の異常が考えられ、その範囲から原因となる部位を特定していきます。
顔面の感覚は三叉神経（Ⅴ）が支配し、全身の皮膚感覚は脊髄の各髄節が司っています。

三叉神経枝と各枝の支配域

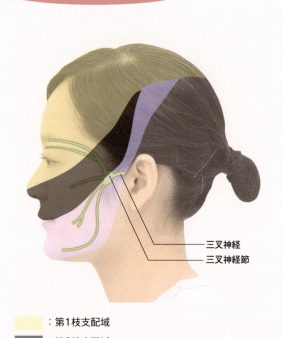

- ：第1枝支配域
- ：第2枝支配域
- ：第3枝支配域

脊髄の髄節と皮膚分節

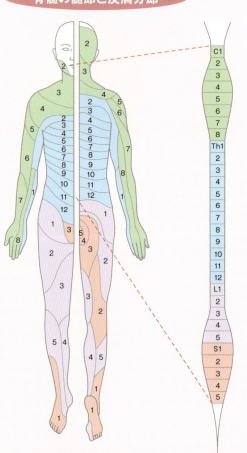

皮膚感覚についての問診・視診

敏感、鈍感、温感、痛感、今までと異なる感覚の有無や内容、その程度、左右差など

脊髄神経は皮膚感覚を支配しています。上図（デルマトーム）は、何番の脊髄が皮膚のどこを支配しているかを示しており、症状の出現部位から障害された脊髄のおおよその部位が推定できます。

皮膚感覚の視診・触診

顔面の触覚検査（三叉神経）

第1枝支配域

第2枝支配域

第3枝支配域

❶ 顔面の左右の同じ部位を、筆やティッシュペーパーで触れ、左右同じように感じられるかを確認します。

手の皮膚感覚・触覚検査

❷

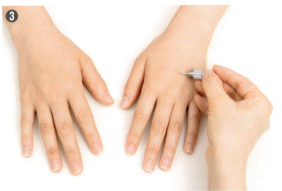
❸

❷ 手背の左右の同じ部位を、筆やティッシュペーパーで触れ、触覚を確認します。

❸ 先端がとがった器具を用い（爪楊枝など）、痛覚を診察します。
四肢・体幹の皮膚感覚も同様に行います。

正常	●感覚：触覚、痛覚、温度覚などがあり、左右差がない
異常	●感覚：触覚・痛覚・温度覚などの刺激を感じない、あるいは異常、左右差がある ⇒感覚の低下：刺激を感じない、感じ方が鈍い ⇒感覚過敏：刺激に対して、予想より強く痛みを感じたり、不快感がある ⇒錯感覚：加えた刺激と違う感じや違和感がある ⇒異常知覚：刺激を加えていないのに、痛みやビリビリ、ジンジンする

CHAPTER 2

話す

「話す」機能に異変が生じると、コミュニケーションに支障をきたし、生活機能に影響を与えます。本項では、「話す」機能の観察法を解説します。

STUDY 「話す」機能

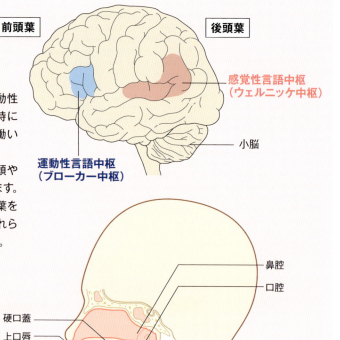

● 「話す」とは
言葉を話す時、脳ではブローカーという運動性言語中枢が働き、言語を理解し認識する時にはウェルニッケという感覚性言語中枢が働いています。
「話す」機能には、脳の働きだけでなく、喉頭や咽頭、口唇・舌・口蓋の運動もかかわっています。話す時には、相手の言葉、自分が伝える言葉を理解して、組み立てることが必要です。それらが障害されている状態を失語症といいます。

声を出す時には、肺から吐き出される呼気が喉頭にある声帯を振動させ音声を作り出します。これが妨げられる状態を発声障害といいます。
この音声をもとに、構音器官（咽頭・口腔・舌など）の動きによって話し言葉を作り出します。これが妨げられる状態を構音障害といいます。

「話す」機能についての問診・視診

声が出るか、音量、声質、声の高さ、鼻音、言葉が明瞭か、会話が成立するか（氏名、生年月日、住所などを答えてもらう、描かれた絵の名前や文字を読んでもらう、復唱してもらうなどの方法で確認することもある）。

観察項目
- 精神状態：情緒不安定、躁状態、鬱状態、既往など
- 鼓口蓋裂の有無、軟口蓋・咽頭の動き、口蓋扁桃の腫脹・発赤、舌の動き

正常	● 会話がスムーズであり発語・返答などが適切で、聴き取りやすい
異常	● 失声⇒咽頭や反回神経に影響を与える疾患 ● 嗄声（かすれ声）・囁くような声⇒喉頭炎、喉頭腫瘍、反回神経麻痺 ● 構音障害（鼻音で、ろれつが回らず、不明瞭）⇒口蓋裂、脳血管障害、喉頭炎、喉頭腫瘍、神経筋疾患、小脳疾患 ● 運動性失語（ブローカー失語）：相手の話は理解できるが返答はなかなか出てこないため時間を要する⇒脳血管障害、脳腫瘍、脳挫傷など ● 感覚性失語（ウェルニッケ失語）：相手の話が理解できない。言語指示に流暢に返答するが、間違いが多く、内容は意味不明⇒脳血管障害、脳腫瘍、脳挫傷など

軟口蓋・咽頭の視診

口腔内を大きく開けてもらいます。口腔内をペンライトで照らし、「アー」と少し長めの声を出してもらって喉の奥を観察します。

正常	● 軟口蓋・口蓋扁桃に発赤や腫脹なし ● 軟口蓋は左右対称に挙上し、口蓋垂は正中に位置する
異常	● 軟口蓋・口蓋扁桃が発赤・腫脹⇒炎症、扁桃炎 ● 麻痺側の軟口蓋は挙上しない（カーテン徴候）、口蓋垂が健側に偏位⇒舌咽神経麻痺

舌の動きの視診

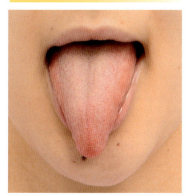

❶ 口を大きく開けて、舌をまっすぐ前に出してもらい、偏位の有無を確認します。

❷ 舌を左右に動かし口角を触ってもらい、左右の動きの差がないかをみます。

正常	● 舌をまっすぐ出すことができ、動きの左右差がない
異常	● 舌が偏位している ⇒偏位側に麻痺（舌下神経）：脳血管疾患や脳腫瘍

CHAPTER 2

見る・聴く・嗅ぐ・味わう・触れる・話す：フィジカルアセスメントの内容と進め方

問診・視診・触診

基礎情報	年齢・性別・身長・体重・職業・家族構成・嗜好・飲酒・喫煙
既往歴	眼・耳・鼻・口腔・感覚・話すに関する疾患：緑内障・白内障・中耳炎・副鼻腔炎・アレルギー・歯周病・口内炎・認知症など
家族歴	

眼に関する情報

現病歴・治療内容
視力障害（部位・質）、視力の変化（発生・経過）、眼痛、眼精疲労、腫瘍、発赤、分泌物、掻痒感、乾燥、眼鏡・コンタクトレンズの使用状況など

↓

眼の外観
大きさ、形、左右差、眼瞼浮腫・下垂、眼瞼結膜の充血・浮腫、眼球結膜の黄染・毛様充血・出血、眼球突出、瞳孔の左右差・形、虹彩の色・形、水晶体の混濁、対光反射、眼球運動、眼振

視力検査

視野
欠損の部位・程度

眼底
眼底出血・うっ血乳頭の有無

耳に関する情報

現病歴・治療内容
聴力障害、聴力の変化、耳痛、耳鳴り、分泌物や出血の有無、めまい、嘔気、頭痛の有無、補聴器の使用状況

↓

耳の外観
耳介の変形・結節・皮疹・牽引痛・圧痛、外耳道の炎症、耳漏、鼓膜の色調・構造（耳鏡使用時）

聴力
指こすり、ウェーバー試験、リンネ試験

触れるに関する情報

現病歴・治療内容
皮膚感覚の違和感：敏感・鈍感・しびれ・疼痛など

↓

皮膚感覚
痛覚・温度覚など

鼻に関する情報

現病歴・治療内容
鼻閉・鼻汁・鼻出血・疼痛、アレルギーの有無・程度、においの感じ方の変化など

↓

鼻の外観
変形・腫脹・発赤・炎症

副鼻腔
圧痛・腫瘤

話すに関する情報

現病歴・治療内容
コミュニケーションに関する自覚症状、言葉を明確に発声できるか、会話の内容を理解できるかなど

↓

口蓋・咽頭・舌
腫脹や炎症の有無、左右差、舌の動き、口蓋垂の偏位

失語・理解力
失語（ブローカー、ウェルニッケ）の有無、構音障害の有無、認知力の程度

口腔・味覚に関する情報

現病歴・治療内容
口唇・口腔内・舌・歯・咽頭の疼痛・潰瘍・白斑・出血・腫脹、味覚の変化、義歯の使用状況

↓

口唇
乾燥・亀裂・水疱・出血・チアノーゼ

口腔内
発赤・出血・潰瘍

歯
う歯・欠損

舌
舌苔・潰瘍・腫瘤

咽頭
扁桃発赤・肥大

下顎
開口時の動き

唾液腺
腫脹・圧痛

フィジカルアセスメントの実際

CASE 見る・聴く・嗅ぐ・味わう・触れる・話す：事例

54歳・男性／数週間前から左眼が見えにくくなり、頭痛も持続

問診／バイタルサイン

54歳・男性
嘔気・頭痛が続いており、最近左眼が見えにくい。

VS
- BT=37.0℃
- P=90回/分
- R=16回/分
- BP=140/88mmHg

基本情報
- 54歳・男性、身長170cm、体重76kg
- 食事は3回、外食が多い
- 喫煙10本/日、飲酒ビール1本/日
- 家族は妻と大学生の娘
- 既往歴なし

視診・触診

- 視力は両側0.8、視野は左同名半盲
- その他の神経学的所見：
  麻痺なし、瞳孔不同なし、左右4mm、対光反射あり、難聴なし
- 眼圧：正常

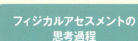
フィジカルアセスメントの思考過程

- 頭痛や視野狭窄が持続していることから、脳疾患か緑内障など眼の疾患が考えられる

結論
問診・視診の結果から、脳や眼に何らかの疾患があることが考えられる。
CTやMRIにより、緑内障や脳腫瘍の症状の悪化に注意しながら、観察を行っていく。

CHAPTER 2　フィジカルアセスメントの実際

身体を動かす

筋・骨格は人間の形態の保持と運動機能に大きく関与しています。これらが障害されると日常生活動作に支障をきたし、心身ともに苦痛を伴います。移動の援助を的確に行うためにも、「身体を動かす」状況のアセスメントが重要です。

また、筋肉や関節の動きは中枢神経の調和によるものであるため、その相互関係についても理解が必要です。

観察項目

歩くこと
- 自覚症状・生活歴・既往歴・現病歴
- 脊柱の形態
- 下肢の形態
- 歩行状態

KEYWORD
立位の左右対称性、歩行テスト

関節の動き
- 自覚症状・生活歴・既往歴・現病歴
- 関節の視診・触診
- 関節可動域の測定

KEYWORD
屈曲・伸展、背屈・掌屈、尺屈・橈屈、回外・回内、外旋・内旋、外転・内転

筋力
- 自覚症状・生活歴・既往歴・現病歴
- バレーテスト
- 握力測定
- 徒手筋力測定（MMT）

KEYWORD
MMTで筋力の左右差を観察

反射の動き
- 自覚症状
- 深部反射（上腕三頭筋反射・膝蓋腱反射・アキレス腱反射）
- 病的反射（バビンスキー反射）

KEYWORD
生理的反射の亢進・病的反射の有無を観察

フィジカルアセスメントの実際

STUDY　全身の骨格

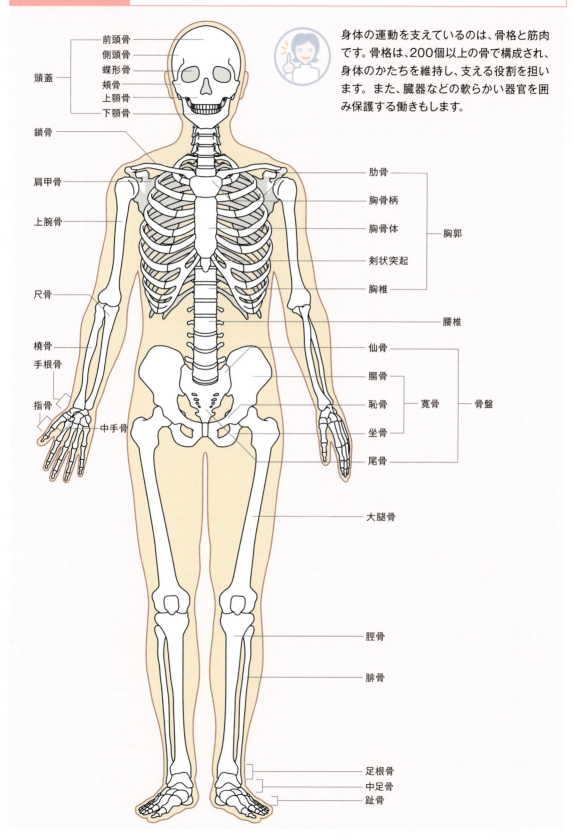

身体の運動を支えているのは、骨格と筋肉です。骨格は、200個以上の骨で構成され、身体のかたちを維持し、支える役割を担います。また、臓器などの軟らかい器官を囲み保護する働きもします。

CHAPTER 2　身体を動かす

CHAPTER 2

STUDY　全身の筋

筋はそれぞれの骨と結合し、複数の筋が協調して働くことで身体を支えたり動かしたりします。

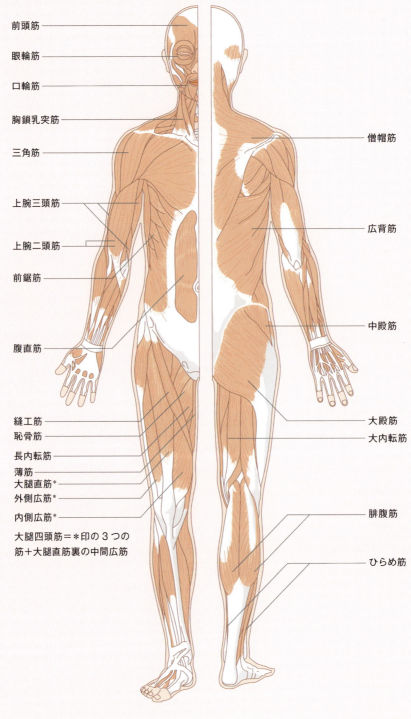

- 前頭筋
- 眼輪筋
- 口輪筋
- 胸鎖乳突筋
- 三角筋
- 上腕三頭筋
- 上腕二頭筋
- 前鋸筋
- 腹直筋
- 縫工筋
- 恥骨筋
- 長内転筋
- 薄筋
- 大腿直筋＊
- 外側広筋＊
- 内側広筋＊
- 大腿四頭筋＝＊印の3つの筋＋大腿直筋裏の中間広筋

- 僧帽筋
- 広背筋
- 中殿筋
- 大殿筋
- 大内転筋
- 腓腹筋
- ひらめ筋

フィジカルアセスメントの実際

歩くこと

最初に、患者が立位をとれるのか、歩行の状況はどうであるのかを観察し、全体状況を把握します。
まずは、詳しくアセスメントが必要な部位をスクリーニングします。

歩行についての問診
- **自覚症状**：立つこと歩くことについて、気になる点（疼痛の有無、力が入らない、ふらつく、疲労感の有無）
- **生活歴**：年齢・性別・職業・活動レベルなど
- **既往歴**：脳疾患、筋・骨格系疾患、悪性腫瘍（過去の治療歴を含む）
- **現病歴**：治療法（薬物療法・化学療法・放射線療法・手術療法）
- **外傷の場合**：受傷時の状況を確認

CHAPTER 2 身体を動かす

脊柱の形態

❶ 患者を立位とし、脊柱の形態を視診します。看護師は患者の背部に正対し、左右の肩や肩甲骨、腸骨、臀部の筋肉、皮膚の溝の位置が脊柱を軸にして左右対称であるか、奇形がないかを観察します。
脊柱側彎がみられる場合は、その程度を角度で記録します。

❷ 患者に前屈してもらい、看護師は背部の高さが左右対称であるかを観察します。

背部の左右対称性を観察

観察項目
【立位】
- 左右対称性：
  肩・肩甲骨・腸骨、臀部の筋肉、皮膚の溝の位置

【前屈位】
- 左右対称性：背部の高さ

CHAPTER 2

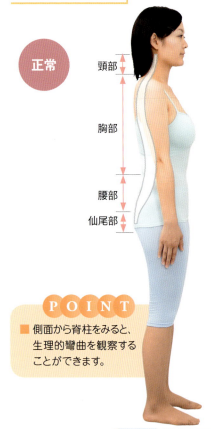

正常

- 頸部
- 胸部
- 腰部
- 仙尾部

POINT
- 側面から脊柱をみると、生理的彎曲を観察することができます。

❸ 看護師は患者の側面に正対し、脊柱彎曲の形態を観察します。

彎曲異常の傾向

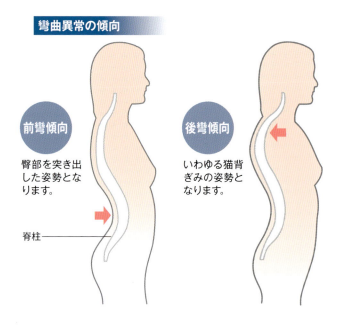

前彎傾向
臀部を突き出した姿勢となります。

後彎傾向
いわゆる猫背ぎみの姿勢となります。

脊柱

正常
- 立位：脊柱軸に対して、肩・肩甲骨・腸骨、臀部の筋肉が左右対称、側面のカーブは生理的彎曲を描く
- 前屈位：背部の高さは左右対称

異常
- 側彎や生理的彎曲からの逸脱がみられる
  * 側彎が強い場合は、肺疾患・心疾患を合併している可能性があるため、呼吸機能・心機能をアセスメントする

CHECK! 脊柱側彎症とは

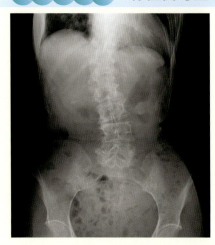

脊柱側彎症は発育期に出現・進行しますが、ほとんど自覚症状がありません。成人期以降になると、軽度であっても腰背部の痛みが起こる頻度が高くなります。中等度の変形では、腰背部痛だけでなく美容上の問題にもつながります。
さらに高度の場合は、心肺機能の低下が深刻な問題となります。脊柱変形のために胸郭が変形し、呼吸運動が障害され、気管支や細気管支が圧迫されて呼吸障害をきたすことがあります。

STUDY 脊髄神経と知覚・運動機能

脊柱は身体の支柱であり、脊髄を保護しています。上から頸椎（7個）・胸椎（12個）・腰椎（5個）・仙椎（5個）・尾骨（3～5個）があります。
脊髄には31対の脊髄神経が連絡しており、頸神経8対（C_1～C_8）、胸神経12対（Th_1～Th_{12}）、腰神経5対（L_1～L_5）、仙骨神経5対（S_1～S_5）、尾骨神経1対があります。
これらの神経が障害されると、その神経が支配する器官（皮膚・筋・内臓）の知覚・運動機能などに障害を生じます。
脊髄には、それぞれ支配している皮膚感覚の領域（デルマトーム）があります（p128参照）。
皮膚感覚異常がみられる領域を確認することで、どの脊髄神経が障害されているのかを推測することができます。

脊髄神経

脊髄神経のレベル	形成される神経叢	神経叢の支配領域	損傷によって生じる麻痺部位と症状(損傷脊髄)
頸髄 C_1～C_4	頸神経叢	●頸部・横隔膜の運動 ●頸部・側頭部・肩・前胸部上部の皮膚知覚	●完全呼吸麻痺（C_1～C_4） ●四肢麻痺（C_1～C_4）
頸髄 C_5～ 胸髄 Th_1	腕神経叢	●鎖骨上部・上肢の運動 ●肋間筋の運動 ●肩・上肢の皮膚知覚	●不完全呼吸麻痺（C_5～C_8） ●前腕挙上不能（C_5～C_7） ●三角筋領域知覚消失（C_5、C_6） ●前腕回内・屈曲不能（猿手）（正中神経損傷：C_6～Th_1） ●鷲手（尺骨神経損傷：C_8、Th_1） ●下垂手（橈骨神経損傷：C_5、C_8、Th_1）
胸髄 Th_2～Th_{11}	肋間神経	●胸膜の運動 ●胸膜部の皮膚知覚	●痙性対麻痺（Th_2～）
胸髄 Th_{12}～ 腰髄 L_4	腰神経叢	●腰部や外性器の筋群、大腿の伸筋群、内転筋群の運動 ●腹壁下部、外性器、下肢の皮膚知覚	●弛緩性対麻痺（L_1～）
腰髄 L_4～ 仙髄 S_3	仙骨神経叢	●大・中・小殿筋、大腿の屈曲筋群、下腿・足の筋群の運動 ●臀部、会陰の一部、大腿後面、下腿、足の皮膚知覚	●膝関節伸展不能・股関節屈曲減弱（大腿神経損傷：L_1～L_4） ●歩行・立位困難（閉鎖神経損傷：L_2～L_4） ●下垂足（腓骨神経損傷：L_4～S_2） ●足指の屈曲不能（脛骨神経損傷：L_4～S_3）
仙髄 S_3～S_5	陰部神経叢	●肛門括約筋・肛門挙筋・会陰の運動 ●会陰・骨盤・肛門周囲の皮膚知覚	●勃起不全（陰部神経損傷：S_3～S_5） ●排尿障害（S_2～S_4）

CHAPTER 2

CHECK! 脊柱管狭窄症とは

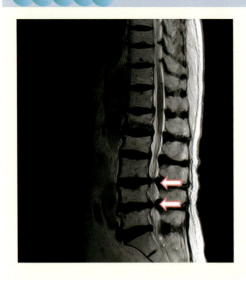

脊柱管を構成する脊椎や黄色靱帯が変性・肥大したり、椎間板が突出して、脊柱に収められている神経組織が圧迫されると様々な症状が現れます。

腰部の脊柱管が狭窄すると腰痛や下肢のしびれが出現し、頸部の脊柱管が狭窄すると両手のしびれ、指先での細かい作業ができないなどの症状が現れます。

黄色靱帯や脊椎の形態変化は非可逆的であり、神経が圧迫される症状が加齢とともに、しだいに進行する傾向にあり、脊柱管狭窄症は高齢者に多いのが特徴です。

そのほか、生まれつき脊柱管が狭い場合もあり、圧迫が容易に起こるため、30〜40代で発症することもあります。

下肢の形態

患者は両下肢を閉じた立位とし、看護師は背部に正対します。下肢の骨・筋肉が左右対称であるか、奇形がないか、膝の曲がりがないかを観察します。

| 観察項目 | ● 下肢の骨・筋肉の左右対称性、奇形、膝の曲がり |

| 正常 | ● 骨・筋肉の位置：左右対称 |

| 異常 | ● 骨・筋肉の位置：左右対称ではない
● 膝関節と足関節の間隔：2cm以上
＊ 膝関節と足関節両方とも2cm以上の場合をO脚、足関節のみ2cm以上の場合をX脚という |

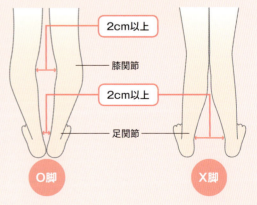

フィジカルアセスメントの実際

歩行テスト

2-14

錐体路・小脳・錐体外路系の障害、筋・骨格の障害などがあると通常の歩行ができない場合があります。歩行状態を観察することで、障害部位を推察します。

❶ 通常歩行

❷ つぎ足歩行

❶ 患者に普段通り歩いてもらい、看護師は歩行状態を観察します。

❷ 患者は1歩ずつ足先に踵をつけながら、まっすぐに歩き、看護師は歩行状態を観察します。

❸ 患者はつま先をそろえて立ち、看護師は身体が動揺しないかを観察します。
そのままの姿勢で眼を閉じてもらい、ふらつきがないかを観察します。その際、看護師はすぐに支えられるよう準備し、患者にその旨を説明します。

POINT

- 何度も歩行テストを行うのは患者にとって負担となります。医師と共に行うなど最小限の負担となるよう調整します。

- 通常歩行で異常がみられた場合は、つぎ足歩行やロンベルグ試験などは無理に行いません。

ロンベルグ試験

正常	● 開眼中も、閉眼してもふらつくことなく、立位が保てる
異常	● 脊髄後索障害：開眼している時は視覚による補正により、安定して立位を保てるが、閉眼時大きく揺れて倒れてしまう ● 小脳障害：開眼している時から立位が保てずふらついて倒れてしまう

CHAPTER 2 身体を動かす

CHAPTER 2

STUDY　運動の調整と症状

身体の運動は、中枢神経と末梢神経が高度に統合されて初めて可能になります。神経伝導路のしくみを知ることで症状から病変を推測することが可能になります。

- **感覚路**：末梢感覚受容器からの情報を大脳皮質に伝える求心性神経伝導路。末梢にある感覚器から脊髄・視床を通り大脳皮質の感覚野に至ります。
  感覚系の神経伝導路には延髄下部で交叉するもの（振動を感じとる振動覚、自分の身体の位置を感じとる位置覚など）、脊髄レベルで交叉するもの（温痛覚）、交叉しないもの（深部感覚の一部）があります。交叉の有無や、交叉しているレベルによって、病変と症状が現れる側が変化します。
- **運動路**：**錐体路**⇒大脳皮質から脊髄に至る遠心性の神経伝導路。主に骨格筋の随意運動を支配します。錐体路は、延髄と脊髄の移行部で交叉（錐体交叉）しています。運動麻痺の症状は、病変が錐体交叉より上ならば、病変と反対側に現れます。
  大脳基底核・小脳⇒運動の微細な調整や平衡感覚などのバランスを調整することにかかわっています。障害されると身体のバランスをとることが困難になるなどの症状が現れます。

STUDY　指鼻指試験

小脳の調整機能をスクリーニングする方法の一つに指鼻指試験があります。患者の示指で、患者の鼻と検者の指先を交互に触れてもらいます。検者は1回ごとに指の位置を変えます。正確さやスムーズさを観察します。

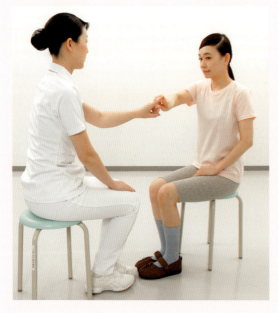

フィジカルアセスメントの実際

CHECK! 疾患に特有の歩行異常

2-15

パーキンソン病や脳卒中などによる痙性片麻痺などでは、それぞれ疾患に特有の歩行の異常がみられます。

パーキンソン病

パーキンソン病による基底核障害により、特有のパーキンソン歩行がみられます。
前かがみの姿勢で頭部・頸部が前方に曲がり、腰・膝はわずかに屈曲、上肢は肘・手首ともに屈曲しています。動作を始めるまで時間がかかるのが特徴です。歩幅は小さく、すり足となり、腕の振りが小さく、身体の向きを変える時も一塊のような硬い動作になります。

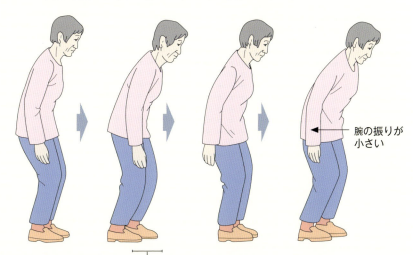

腕の振りが小さい

歩幅は小さく、すり足

痙性片麻痺

痙性片麻痺は、脳卒中などによる皮質脊髄路の障害でみられます。麻痺側の上肢は肘・手首・指関節ともに屈曲し、固定しています。
下肢は伸展して足関節は底屈し、歩行すると足を引きずり（顕著な場合はつま先も）、外側から回って前に出すような動作の草刈り歩行（分回し運動）になります。

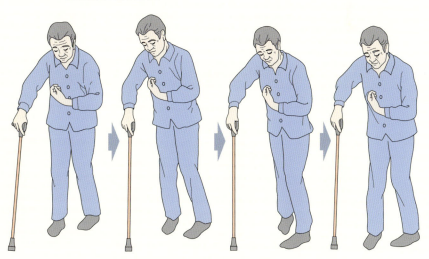

関節の動き

関節痛や関節に炎症のある患者、外傷による関節障害がある患者、関節可動域に制限がある患者への日常生活援助を行う際に、関節のアセスメントは大切です。例えば、関節可動域を数値で表すことにより、患者の状況を正確に伝え、チームで情報を共有することができます。

ただし、視診・触診の結果、炎症が強く安静が必要と思われる場合、関節可動域の測定は行いません。

関節についての問診
- 自覚症状：疼痛の有無・部位、患部腫脹の有無、熱感の有無、出現時期、増強時の状況、日常生活上の支障
- 生活歴：年齢・性別・職業・活動レベルなど
- 既往歴：脳疾患、筋・骨格系疾患、悪性腫瘍（過去の治療歴を含む）
- 現病歴：治療法（薬物療法・化学療法・放射線療法・手術療法）
- 外傷の場合：受傷時の状況を確認

関節の視診・触診
- 可動性・腫脹・発赤・熱感（手背を押し当てて触診）・圧痛
- 関節を動かす時の音、変形
- 周囲の組織の変化（筋肉の萎縮、皮下結節、皮膚の変化など）、手指・手のこわばり
- 左右差
- 関節の拘縮（p145参照）

正常
- 関節の動きがスムーズで、炎症症状がなく、変形や痛みがない

異常
- 関節を動かす際に抵抗があり、痛みを伴うか、炎症症状がある

CHECK! 変形性膝関節症

変形性膝関節症は、関節軟骨が摩耗し関節炎や変形を生じて痛みがあり、年齢とともに増加します。

軽度の場合は、ほとんど自覚症状はありません。摩耗がある程度進むと、膝の曲げ伸ばしの刺激により関節炎が生じます。膝を曲げ伸ばしした時の痛み（動作時痛）や曲げ伸ばしの制限（可動域制限）があります。

さらに進行すると、骨そのものの変形が生じ、膝を動かすたびに強い痛みがあり、可動域の制限が高度になり、日常生活の大きな障害となります。

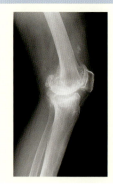

STUDY 関節と関節可動域

関節とは、2つの骨が溶け合わずに並んでいる接合部です。関節にはまったく動きを伴わない不動関節（頭蓋の縫合）、動きをほとんど伴わない半関節（胸骨柄と胸骨体の結合部など）、動きを伴う可動関節（肩・肘など）があります。

可動関節はさらに、1本の軸に沿った運動のみ行う1軸性の関節、2つの軸の方向、合わせて4方向に自在に動く2軸性の関節、どの方向にでも自由自在に動く多軸性関節があります。

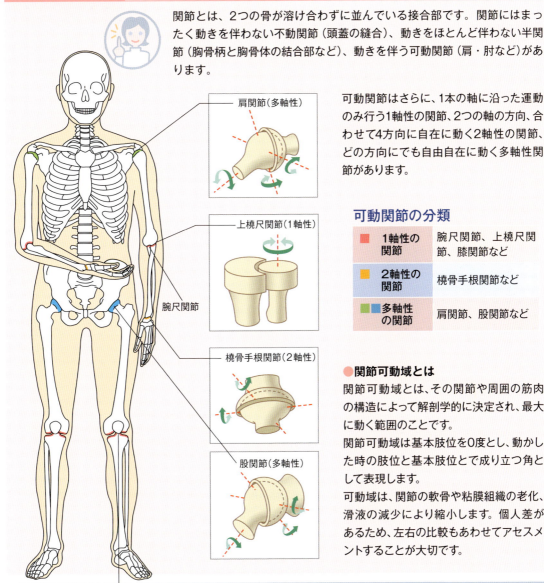

可動関節の分類

■	1軸性の関節	腕尺関節、上橈尺関節、膝関節など
■	2軸性の関節	橈骨手根関節など
■■	多軸性の関節	肩関節、股関節など

●関節可動域とは

関節可動域とは、その関節や周囲の筋肉の構造によって解剖学的に決定され、最大に動く範囲のことです。
関節可動域は基本肢位を0度とし、動かした時の肢位と基本肢位とで成り立つ角として表現します。
可動域は、関節の軟骨や粘膜組織の老化、滑液の減少により縮小します。個人差があるため、左右の比較もあわせてアセスメントすることが大切です。

CHECK! 関節の拘縮

「拘縮」とは、関節包、靱帯などを含む軟部組織が短縮することで、他動的にも自動的にも、その関節についての可動域制限が起こった状態のことです。

拘縮を起こしやすい主な部位と拘縮

関節	拘縮
肩関節、肘関節、手関節、指関節	屈曲拘縮
股関節	屈曲拘縮と外転制限
膝関節	屈曲拘縮
足関節	尖足拘縮

CHAPTER 2

関節可動域の測定

看護師は測定時、関節の動かし方を患者が理解しやすい言葉と自らの動きによって説明します。患者に関節を動かしてもらい、その範囲を視診し、解剖学的関節可動域と比較します。関節は無理に動かさないよう注意します。

関節可動域は個人差があるため、正常・異常ではなく基本的な動きが可能か、極端な左右差はないかという点に注目して観察します。

関節可動域の測定器具

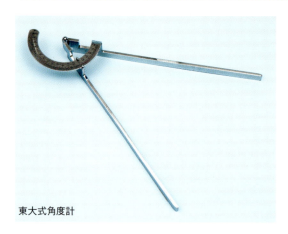

東大式角度計

関節可動域の測定には角度計（ゴニオメーター）を用います。

■ **使い方**

❶ 計測したい関節の基本軸と移動軸を確認します。
❷ 関節を他動的に動かせる範囲でゆっくりと動かします。動かしている時の抵抗感や痛みの出現などを確認し、代償運動が出ないように注意します。
❸ 基本軸と移動軸が交差する位置に角度計を当てて、その角度を読みます。

CHECK! 代償運動

計測したい関節可動域運動を補助するような動作を代償運動といいます。例えば、股関節屈曲角度を計測する場合、反対側の下肢が挙上すると可動域が広がったかのように記録されてしまいます。

計測時には、そのような代償運動が出ていないことを確認しながら行います。

左股関節のみの可動域が正しく計測されている例

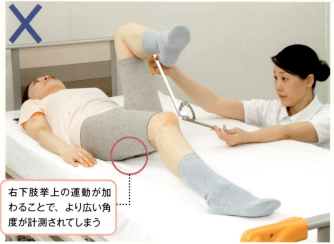

右下肢挙上の運動が加わることで、より広い角度が計測されてしまう

フィジカルアセスメントの実際

STUDY 関節運動とその名称

人体の運動を考える時、基本とされる「面」があります。その面を1つの基準として運動の概念が組み立てられています。

関節運動の名称

屈曲	基本肢位にある身体で、近接する部分間(骨と骨など)の角度が小さくなる(近づく)運動
伸展	基本肢位にある身体で、近接する部分間の角度が大きくなる(遠ざかる)運動
外転	正中面から離れる運動
内転	正中面に向かう運動
回旋運動	身体の長軸(縦軸)の周りで向きを変えたり回したりする運動
外旋	四肢の前面を正中面から離すような運動
内旋	四肢の前面を正中面に向かわせるような運動
回外	前腕と手の回旋運動で、自然に腕を下げた状態から手掌が前を向くような運動
回内	前腕と手の回旋運動で、自然に腕を下げた状態から手背が前を向くような運動

CHAPTER 2 身体を動かす

解剖学的な断面

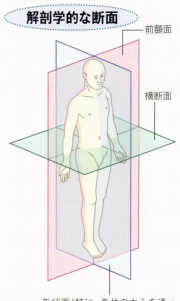

矢状面(特に、身体の中心を通って左右に等分する面を「正中面」という)

屈曲・伸展

屈曲／伸展／屈曲／伸展

外転・内転／外旋・内旋

外旋／内旋／外転／内転／外旋／内旋／外転／内転

回外・回内

回外／回内

147

CHAPTER 2

橈骨手根関節の測定

腕を前方に一直線に伸ばした状態で橈骨手根関節を動かし、背屈（伸展）・掌屈（屈曲）、尺屈・橈屈の可動域を角度計（ゴニオメーター）で測定します。

背屈（伸展）

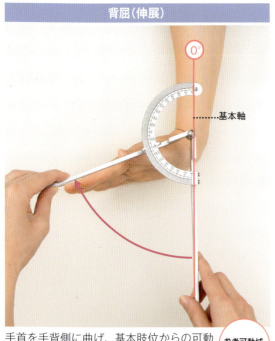

手首を手背側に曲げ、基本肢位からの可動角度を測定します。

参考可動域 **70°**

掌屈（屈曲）

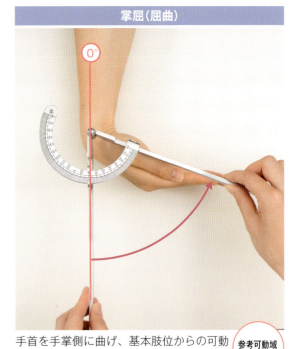

手首を手掌側に曲げ、基本肢位からの可動角度を測定します。

参考可動域 **90°**

尺屈

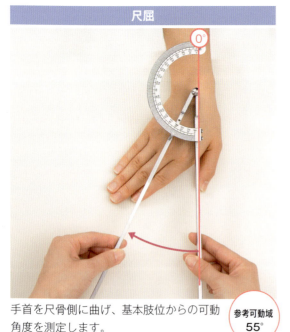

手首を尺骨側に曲げ、基本肢位からの可動角度を測定します。

参考可動域 **55°**

橈屈

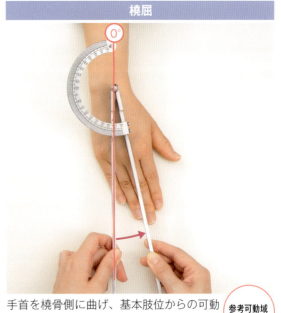

手首を橈骨側に曲げ、基本肢位からの可動角度を測定します。

参考可動域 **25°**

------ フィジカルアセスメントの実際

肘関節の測定

肘関節の屈曲、回外・回内を測定します。屈曲は、座位または立位で両腕を垂直に下ろした位置から動かします。回外・回内は、座位で肘を90度に曲げた位置から動かします。

屈曲

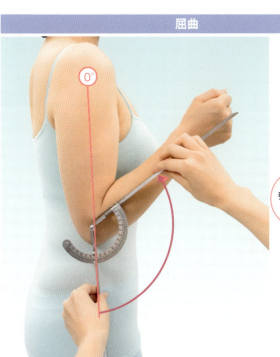

手掌を前にして肘を伸ばし、垂直に下ろします。肘の位置を動かさずに肘を曲げ、基本肢位からの可動角度を測定します。

参考可動域 **145°**

回外・回内の基本肢位

座位で肘を90度に曲げます。これが基本肢位となります。

回外

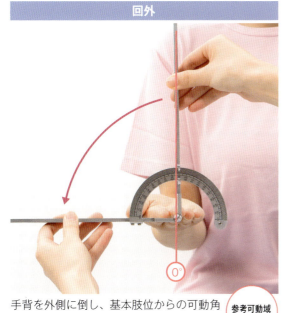

手背を外側に倒し、基本肢位からの可動角度を測定します。

参考可動域 **90°**

回内

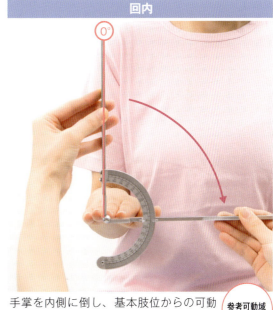

手掌を内側に倒し、基本肢位からの可動角度を測定します。

参考可動域 **90°**

CHAPTER 2 身体を動かす

肩関節の測定

座位または立位にて、手掌を体幹側に向け、肘を伸ばして腕を垂直に下ろします。この位置から屈曲・伸展、外転の可動域を測定します。外旋・内旋は上腕を体幹につけ、肘を90度に曲げた位置から測定します。

屈曲（前方挙上）

参考可動域 180°

手掌を体幹側に向けて腕を下ろし、肘を伸ばしたまま前方を通って腕を上げ、基本肢位からの可動角度を測定します。

伸展（後方挙上）

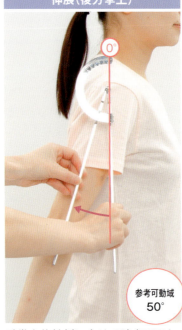

参考可動域 50°

手掌を体幹側に向けて腕を下ろし、肘を伸ばしたまま後方を通って腕を上げ、基本肢位からの可動角度を測定します。

外転（側方挙上）

参考可動域 180°

手掌を体幹側に向けて腕を下ろし、肘を伸ばしたまま側方を通って腕を上げ、基本肢位からの可動角度を測定します。

外旋

参考可動域 60°

手掌を体幹側に向け、上腕を体幹につけて肘を前方90度に曲げます。肘の位置を動かさずに、上腕を外側に動かし、可動角度を測定します。

内旋

参考可動域 80°

手掌を体幹側に向け、上腕を体幹につけて肘を前方90度に曲げます。肘の位置を動かさずに、上腕を内側に動かし、可動角度を測定します。

頸部関節の測定

患者は座位とし、頸部の動きを観察します。前屈（屈曲）、後屈（伸展）、左右への回旋、左右への屈曲について、可動角度を測定します。

屈曲

頸部を前に曲げ、基本肢位からの可動角度を測定します。

参考可動域 60°

伸展

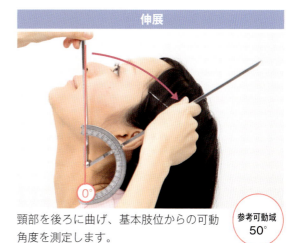

頸部を後ろに曲げ、基本肢位からの可動角度を測定します。

参考可動域 50°

右回旋

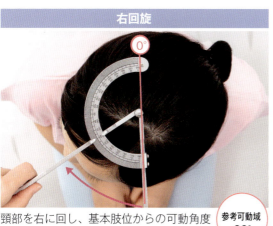

頸部を右に回し、基本肢位からの可動角度を測定します。

参考可動域 60°

左回旋

頸部を左に回し、基本肢位からの可動角度を測定します。

参考可動域 60°

左側屈

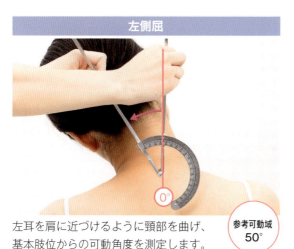

左耳を肩に近づけるように頸部を曲げ、基本肢位からの可動角度を測定します。

参考可動域 50°

右側屈

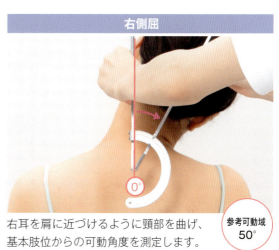

右耳を肩に近づけるように頸部を曲げ、基本肢位からの可動角度を測定します。

参考可動域 50°

CHAPTER 2

股関節の測定

患者は臥位とし、股関節の動きを観察します。屈曲、内転・外転、内旋・外旋は仰臥位で、伸展は腹臥位で行います。

仰臥位で膝を曲げ、下肢を挙上して、基本肢位からの可動角度を測定します。

参考可動域
125°

腹臥位で膝を伸ばし、下肢を後方に上げて、基本肢位からの可動角度を測定します。

参考可動域
15°

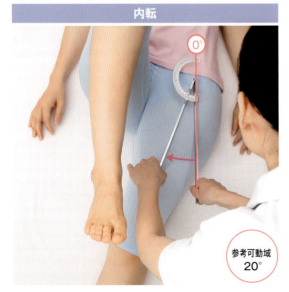

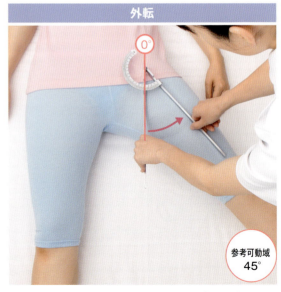

仰臥位で骨盤の位置を固定し、反対側の下肢を屈曲・挙上します。その下を通して、膝を伸ばしたまま下肢を内側に動かし、基本肢位からの可動角度を測定します。

参考可動域
20°

仰臥位で骨盤の位置を固定し、膝を上向きにして伸ばした状態で、下肢を外側に動かします。基本肢位からの可動角度を測定します。

参考可動域
45°

フィジカルアセスメントの実際

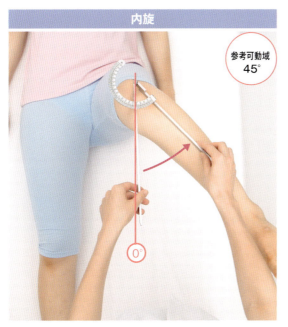

仰臥位で、股関節・膝関節を90度に曲げ、下腿を体幹と平行にします。膝の位置を動かさないようにして、下腿を外側に動かし、基本肢位からの可動角度を測定します。

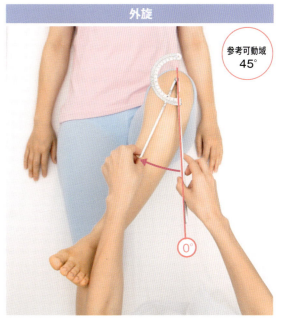

仰臥位で、股関節・膝関節を90度に曲げ、下腿を体幹と平行にします。膝の位置を動かさないようにして、下腿を内側に動かし、基本肢位からの可動角度を測定します。

膝関節の測定

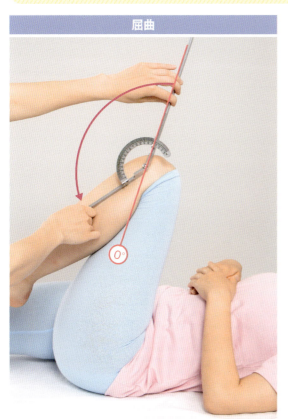

患者は仰臥位とし、股関節を曲げた状態で膝を曲げます。膝を伸ばした基本肢位からの可動角度を測定します。

参考可動域 130°

POINT
関節可動域の記載例

■ 関節可動域は、関節名、対象者の可動域、参考可動域を次のような形で記載します。

右肩関節の屈曲 150°/180°
　　　　　　　↑　　↑
　　　対象者の可動域/参考可動域

CHAPTER 2 身体を動かす

CHAPTER 2

筋力

筋力に障害がある患者は、様々な動きが困難になります。残された機能を活用し、できるだけ筋力を保ちながら生活していくことが求められます。

特に高齢者は、疾患がなくとも、加齢と共に筋力が低下し、様々な制限が出てきます。その人に合った動きを考慮しながら、援助を行うことが重要です。

筋力についての問診
- 自覚症状：疼痛の有無・部位、患部の腫脹、熱感、出現時期、増強時の状況、日常生活上の支障
- 生活歴：年齢・性別・職業・活動レベルなど
- 既往歴：脳疾患、筋・骨格系疾患、悪性腫瘍（過去の治療歴を含む）
- 現病歴：治療法（薬物療法・化学療法・放射線療法・手術療法）
- 外傷の場合：受傷時の状況を確認

筋力のスクリーニング

まず簡単な筋力テストによりスクリーニングを行い、その後、各部位の筋力をアセスメントします。

バレーテスト

2-17

両方の手掌を上に向けて肘を伸ばし、水平に突き出します。両眼を閉じて20秒保持し、腕が下がってこないか、手掌を上に向けたままでいられるか観察します。上肢の麻痺や筋力が低下している場合は、手掌は内側に向き、腕がしだいに落ちてきます。

腹臥位で膝関節を45度に屈曲し、20秒保持します。下肢の麻痺や筋力の低下がある場合は、下肢が下がってきます。

フィジカルアセスメントの実際

握力測定

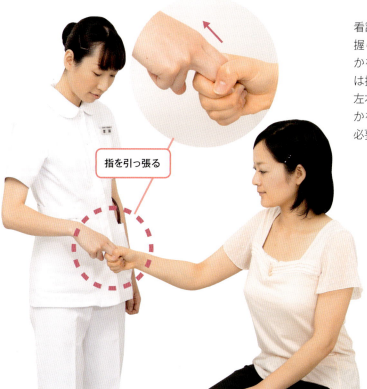

指を引っ張る

看護師の2本の指を握ってもらいます。握られた指を引っ張り、抜けないかどうかを確かめます。普通の握力があれば指は抜けません。
左右の握力を測定し、明らかな差がないかを確認します。
必要時、握力計による測定を行います。

握力計

徒手筋力測定法（MMT）

徒手筋力測定法（Manual Muscle Testing：MMT）を理解することで、PTやOTなどリハビリテーション・スタッフと情報を共有することができます。
MMTは筋力を0～5の6段階で評価します。MMTによる筋力判定は主観的であるため、左右の同じ部位を続けて検査し、左右に一定の力をかけるよう気をつけます。また、患者に、力を入れる時は決して無理をしないよう説明します。
筋肉はそれぞれ特定の神経によって支配されているため、筋・骨格系に異常がない場合でも支配神経に障害があれば筋力に影響することを考慮する必要があります。

徒手筋力測定法の評価基準

スコア	状況
5	強い抵抗を加えても完全に動かせる
4	かなりの抵抗を加えても、なお完全に動かせる
3	抵抗を加えなければ、重力に打ちかって完全に動かせる
2	重力を除けば完全に動かせる
1	関節は動かない、筋の収縮のみが認められる
0	筋の収縮も全く見られない

CHAPTER 2

肩関節

外転力

患者は座位または立位とし、腕を体側でまっすぐに伸ばしてもらいます。

看護師は患者の前腕をつかみ、患者側に押します。
患者に、それに抵抗してもらいます。

筋	三角筋
支配する脊髄神経	C_5、C_6

筋はp136参照
脊髄神経はp139参照

肘関節

屈曲力

患者に座位または立位にて、腕を側方に上げ、肘を90度に屈曲してもらいます。

看護師は患者の前腕をつかみ、手前に引っ張ります。
患者に、それに抵抗してもらいます。

筋	上腕二頭筋
支配する脊髄神経	C_5、C_6

伸展力

患者に座位または立位にて、腕を側方に上げ、肘を90度に屈曲してもらいます。

看護師は患者の前腕をつかみ、患者側に押します。
患者に、それに抵抗してもらいます。

筋	上腕三頭筋
支配する脊髄神経	C_7、C_8

フィジカルアセスメントの実際

股関節

外転力

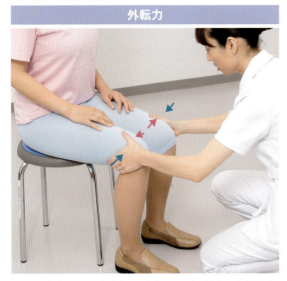

患者は座位とし、看護師は患者の両膝外側に手を置きます。

看護師は両膝を閉じるように押し、患者にそれに抵抗してもらいます。

筋	中殿筋　小殿筋
支配する脊髄神経	L_4、L_5、S_1

内転力

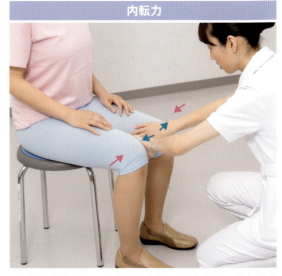

患者は座位とし、看護師は患者の両膝内側に手を置きます。

看護師は両膝を開くように押し、患者にそれに抵抗してもらいます。

筋	内転筋群
支配する脊髄神経	$L_2 \sim L_4$

膝関節

伸展力

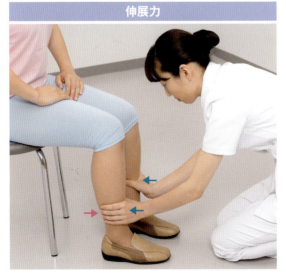

患者は座位とし、看護師は患者の下腿前面に両手を置いて押します。
患者にそれに抵抗してもらいます。

筋	大腿四頭筋
支配する脊髄神経	$L_2 \sim L_4$

屈曲力

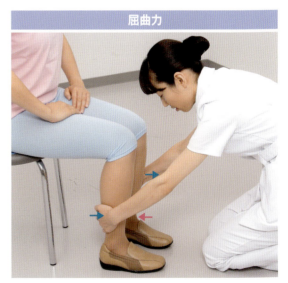

患者は座位とし、看護師は患者の下腿後面に両手を置いて、手前に引きます。
患者にそれに抵抗してもらいます。

筋	大腿二頭筋
支配する脊髄神経	L_4、L_5、S_1、S_2

CHAPTER 2

反射の動き

「とっさに手が出ない」など、日常生活の中でも反射機能の低下を自覚することがあります。反射の異常は、他の症状や徴候より先行してみられることがあります。

反射のアセスメントを行うことにより神経障害の徴候を知るとともに、症状がある場合は、日常生活でどのような動きに注意していく必要があるかを把握することができます。

STUDY　反射

●反射の種類

反射とは痛みや摩擦、光などの刺激に対応して生体が示す反応です。一連の反応経路のことを反射弓といいます。反射には、適度に観察されるべき生理的反射と、正常では検出されない病的反射があります。

反射の観察は打腱器やペンライトなど簡単な道具で行うことができ、認知障害や意識障害がある患者でも客観的で正確な情報が得られるため、神経の異常の有無をアセスメントするためによく用いられます。

深部反射は、膝蓋腱反射のように腱や骨膜などに刺激が加わると筋が収縮する（刺激→脊髄後根→脊髄前角→筋収縮）反射のことです。脳や脊髄の損傷によって錐体路（大脳皮質へのルート）が障害されると、反射弓を抑制している線維が障害されるため深部反射は亢進します。

表在反射は、角膜反射のように特定の皮膚や粘膜に触覚刺激を加えると筋収縮が起こる反射で、脳や脊髄の損傷によって錐体路が障害されると反射が消失します。

自律神経反射は、対光反射のように自律神経系を介した生理的な反射です。

バビンスキー反射に代表される病的反射は、脳や脊髄の損傷によって錐体路が障害されると出現する反射です。

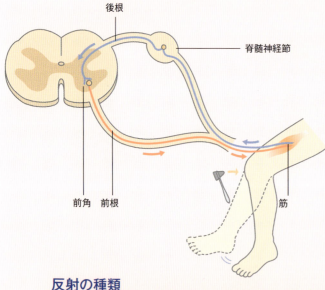

反射の種類

種類		例
生理的反射	深部反射	逃避反射、腱伸張反射（膝蓋腱反射、上腕三頭筋反射、上腕二頭筋反射、アキレス腱反射など）
	表在反射	角膜反射、睫毛反射、咽頭反射、腹壁反射、鼻反射（くしゃみ）
	自律神経反射	膀胱反射、咳反射、唾液分泌反射、対光反射
病的反射		把握反射、吸引反射、バビンスキー反射、トレムナー反射、ワルテンベルグ反射

フィジカルアセスメントの実際

反射についての問診

- 日常生活の中で気になる症状の有無、程度や状況
  例：転びそうな時に、とっさに手が出ない
  例：尿意がはっきりせず、何度もトイレにいきたくなる

深部腱反射の測定

四肢を十分に露出し、関節を軽く屈曲し、患者にリラックスするよう声をかけ、筋を弛緩させてから行います。常に左右の比較を行います。

上腕三頭筋反射

肘関節を90度に屈曲、肩関節を内旋し、手掌を体幹側に向けます。

肘頭より約3～4cm中枢側を打腱器で叩きます。

肘関節の伸展の強さ、反応速度、左右差を観察します。

筋	上腕三頭筋
支配する脊髄神経	C_7、C_8

正常 ● 上腕三頭筋が収縮して、前腕が伸展する

異常 ● 消失または減弱か亢進している、もしくは左右差がある

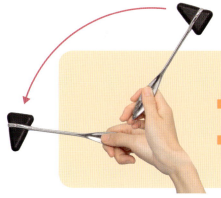

POINT 2-18

打腱器の用い方

- 打腱器はギュッと握らず、母指・示指ではさむようにして、軽く保持します。
- 手首を返すようにして、打腱器の重さを利用して上からポンと落とすように振り下ろします。

CHAPTER 2 身体を動かす

CHAPTER 2

膝蓋腱反射

患者は座位で膝を曲げた体位とし、看護師は膝蓋骨のやや下を打腱器で叩きます。膝関節の伸展の強さ、反応速度、左右差を観察します。

正常	大腿四頭筋が収縮して下肢の伸展、あるいは蹴る運動がみられる
異常	反応が消失または減弱している場合、もしくは左右差がある

アキレス腱反射

足部を背屈して支え、打腱器でアキレス腱を叩きます。足底の底屈を観察します。

正常	足部が底屈する
異常	反応が消失または減弱している場合、もしくは左右差がある

CHECK！ 糖尿病と腱反射

糖尿病の合併症の一つである糖尿病性末梢神経障害をきたすと、腱反射が両側性に減弱、または消失します。
腱反射は、神経障害の検査の中でも最も簡便で行いやすいため、糖尿病の神経障害の有無をアセスメントする際によく用いられます。
糖尿病性末梢神経障害では、そのほか四肢末端のしびれや自発痛、感覚鈍麻、こむらがえりなども出現します。これらの症状とあわせてアセスメントを行います。

病的反射

錐体路が障害されると、反射への抑制が機能しなくなるため、障害神経支配の深部反射が亢進し、あわせて病的反射が出現します。
病的反射をみる検査の中でも、最もよく行われるバビンスキー反射を紹介します。

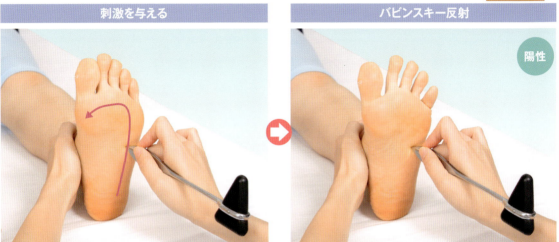

患者は仰臥位とし、打腱器の柄の部分で、足底の外側を踵から母指球へなぞります。この際、母指の背屈がないかを観察します。

| 正常 | ● 生後1年程度までは陽性が正常、その後は陰性が正常 |

| 異常 | ● バビンスキー反射（母指の背屈）がみられる
⇒錐体路の障害（脳出血・脳腫瘍）が疑われる |

CHECK! 表在反射

表在反射とは、特定の皮膚や粘膜を刺激した場合に筋収縮が起こる反射です。細くしたティッシュペーパーなどで角膜を軽くこすると眼瞼が閉じる角膜反射や、外側から正中に向かってこすると腹壁が収縮する腹壁反射などがあります。これらの表在反射は、脳や脊髄の損傷によって錐体路が障害されると消失します。
角膜反射は手技に恐さを伴うため反射が亢進したと観察されやすいこと、腹壁反射は経産婦や開腹手術を受けた人では反射が認められないことがあるなど、表在反射のアセスメントには注意が必要です。反射の減弱・消失や左右差とともに、既往歴に注意してアセスメントしていきます。

CHAPTER 2

身体を動かす：フィジカルアセスメントの内容と進め方

問診

基礎情報	年齢・性別・身長・体重・職業・活動レベル
既往歴	脳疾患・悪性腫瘍（過去の治療歴）、筋・骨格系疾患
現病歴	治療内容（薬物療法・化学療法・放射線療法・手術療法）

歩くことに関する情報	関節を動かすことに関する情報	筋力に関する情報	反射に関する情報
立位・歩行時	**関節の自覚症状**	**筋力の自覚症状**	**反射の自覚症状**
力が入らない、ふらつく、疼痛の有無、疲労感	疼痛・腫脹・熱感の有無、出現時期、増強時の状況、日常生活での支障	疼痛・腫脹・熱感の有無、出現時期、増強時の状況、日常生活での支障	反応の鈍化、出現時期、増強時の状況、日常生活での支障

視診・触診・打診・測定

脊柱・下肢の形態	脊柱側彎、下肢の骨・筋肉（左右対称）、O脚・X脚
歩行の観察	通常歩行・つぎ足歩行・ロンベルグ試験
関節の視診	腫脹・発赤・熱感・圧痛・変形（骨の過大・脱臼など）、周辺組織の変化（筋肉の萎縮、皮下結節、皮膚の変化など）
関節可動域	手指の関節、橈骨手根関節、肘関節、肩関節、頸部、胸・腰椎、股関節、膝関節、足関節
筋力のスクリーニング	上肢・下肢のバレーテスト、握力測定
徒手筋力測定法（MMT）	姿勢の保持、手指（外転力）、肩関節（外転力）、肘関節（屈曲力・伸展力）、股関節（屈曲力・外転力・内転力）、膝関節（屈曲力・伸展力）、足関節（背屈力・底屈力）
深部反射	上腕二頭筋反射、上腕三頭筋反射、膝蓋腱反射、アキレス腱反射
病的反射	バビンスキー反射など

フィジカルアセスメントの実際

CASE 身体を動かす：事例

40歳・女性／数週間前より下肢の脱力感が出現し、細かな手作業を行うことが難しくなったため受診

40歳・女性
下肢の脱力感と原因不明のしびれなどで、生活に支障が出て、受診

フィジカルアセスメントの思考過程

問診／バイタルサイン

VS
- BT=36.5℃
- P=76回/分
- R=18回/分
- BP= 120/66mmHg

- 頭痛なし

- 数か月前より肩こり、頸部の張り、手指のしびれを自覚
- 数週間前から疲れやすさを自覚
- 歩行は行えるが、下肢の脱力感も出現
- 細かな手作業を行うことが難しくなり、家事も困難に
- しびれが更にひどくなる

● 肩・頸部・上肢の感覚・運動障害が認められ、徐々に進行していることから、脳血管や頸部に何らかの異常があるのではないかと考えられる

● 症状が進行しているが、進行が緩慢なことから、神経の圧迫などが考えられる

● 患者は原因に心当たりがなく、症状が進行しているため、不安が日々大きくなっている様子がうかがえる

日常生活行動
- 手先にしびれがあり、はしで細かいものをつかみにくい
- 料理の際、包丁で細かく野菜を切ったり、硬い根菜を切ることが難しくなってきた
- 歩行に問題はないが、下肢のだるさ、突っ張りを感じる
- 疲れやすく、集中力が長時間保てない

視診・触診・打診・測定

歩行	●異常歩行はみられない
姿勢	●異常姿勢はみられない
MMT	●上腕二頭筋：右4/5、左4/5 ●上腕三頭筋：右4/5、左4/5 ●上記以外のMMTすべて5
関節可動域	●頸部：屈曲30°/60° 伸展10°/50° 　　　回旋(左右)20°/60° 側屈(左右)20°/50° ●上下肢の可動域に変化なし
反射	●下肢反射(膝蓋腱反射)：正常 ●上肢反射(上腕二頭筋・上腕三頭筋反射)：正常 ●病的反射(バビンスキー反射)：陰性
上肢	●手先を使う細かな作業が困難
末梢循環	●両上肢の末梢冷感あり

● 可動域の縮小、巧緻運動障害（手指を使った細かな作業）など、脊髄症状がみられることから、頸椎椎間孔や脊柱管に何らかの異常があるのではないかと考えられる

● 症状が徐々に進行し、特に上肢の症状の進行により、日常生活行動に困難を感じている。医師の診察を受け、X線検査やMRI検査などを行い、早期の対応が必要である

結論
自覚症状、巧緻運動の障害などから、頸椎狭小により脊髄症状を呈しているのではないかと考えられる。医師の診察後、MRIなどの検査を受ける必要がある。
また、症状を観察し、負担が少なくなるような日常生活の工夫を患者と一緒に考え、病気や症状に対する不安を緩和できるよう、かかわっていくことが大切である。

CHAPTER 2　身体を動かす

CHAPTER 2 フィジカルアセスメントの実際

身体を守る

身体は外面を皮膚で守られ、身体内部に侵入した異物や病原体からはリンパ系の働きによって守られています。皮膚やリンパ系に障害が起こると、外界から異物が侵入しやすくなり、侵入した異物が全身に影響を及ぼしやすくなります。皮膚やリンパ系の観察は、体位交換や清潔ケアなどの際に行うことで、不必要な露出を避け、患者の負担を最小限にすることができます。

観察項目

皮膚・爪・頭皮・毛髪

1 問診
- 自覚症状・生活歴・既往歴・現病歴（治療）

2 視診・触診
- 色・出血・湿潤・温度・可動性・緊張・皮疹、爪の色・形・病変・頭髪の量・脱毛の有無・腫瘤の有無

リンパ系

1 問診
- 自覚症状・生活歴・既往歴・現病歴（治療・リンパ郭清手術）

2 視診・触診
- リンパ節触知、浮腫の有無
- 頭頸部：後頭リンパ節→耳介後リンパ節→耳下腺リンパ節→耳下腺下リンパ節→顎下リンパ節→おとがい下リンパ節
  後頸リンパ節→浅頸リンパ節→深頸リンパ節→鎖骨上リンパ節
- 下肢：鼠径リンパ節

甲状腺・副甲状腺

1 問診
- 甲状腺機能亢進症状・甲状腺機能低下症状の有無、既往歴

2 視診
- 空嚥下時の甲状腺の動き

3 触診
- 結節・硬結・左右差・圧痛

― フィジカルアセスメントの実際

皮膚・爪・頭皮・毛髪

皮膚は外界からのさまざまな侵襲や刺激から身体を守り、身体内部を一定の環境に保っています。皮膚や爪などに何らかの病変がある場合、それら自体の病気である場合と、全身状態の変調のサインである場合があります。病変部だけに注目するのではなく、常に全身の栄養状態や他の症状・徴候との関連についても注意しながら、アセスメントすることが大切です。

STUDY 皮膚・爪の解剖

●皮膚・爪とは

皮膚には多数の汗腺があり、水分や塩分、尿素の排泄、熱の放散により体温を一定に保つ働きをしています。さらに、温度・疼痛・圧などを感知し、その情報を中枢に伝達する役割も担っています。皮膚は単一の臓器としては最も重く、体重の約16％を占め、表皮・真皮・皮下組織の3層から構成されます。表皮に血管は通っておらず2層からなり、栄養を真皮から得ています。

表皮細胞は成熟・分化しながら上方へ移動し、約1か月かけて角層で剥がれ落ちます。真皮は血流が豊富で結合組織・皮脂腺・汗腺・毛包からなり、下層の皮下組織・脂肪組織に付着しています。

爪は、指趾の遠位端を保護しています。爪甲は、血管に富んだ爪床によりピンク色をしています。指の爪は1日に約0.1mm伸び、一般に足趾より手指のほうが速く伸びます。

皮膚の構造

（表皮、真皮、皮下組織／毛、皮脂腺、汗腺、毛包）

爪の構造

（末節骨、爪甲、爪床、爪半月、爪上皮、爪根）

皮膚・爪・頭皮・毛髪についての問診

- **自覚症状**：疼痛・掻痒感・発疹・発赤・出血・滲出液の有無、症状の出現時期、症状が増強する状況、日常生活の支障
- **生活歴**：年齢・性別・職業・活動レベル、食事の状況
- **既往歴**：皮膚疾患・悪性腫瘍（過去の治療歴を含む）、全身性の疾患、現在受けている治療（薬物療法・化学療法・放射線療法・手術療法）

＊ 熱傷の場合は受傷時の状況も確認

CHAPTER 2

皮膚・爪の視診・触診

色調の変化を見逃さないために自然光（または自然光に近い環境下）で行います。まず患者から訴えのあった部位を診察し、その後、全身の皮膚を観察します。四肢関節の屈曲側、頭頸部や体幹の後面、下肢の爪、頭髪や陰毛部など、見落としがちな部位に注意します。皮膚に変化が認められたら、部位と大きさ、分布状態、配置を確認します。滲出液がある場合は、手袋を装着します。

病変部の視診・触診

【皮疹】
- 全身性か局所性か（全身性：水痘、麻疹など）
- 関節部や皺（しわ）部、皮膚の伸側か屈側かなど部位の特徴
- 金属に接している部分かなど
- 知覚神経領域との関連性（帯状疱疹）
- 皮疹の種類

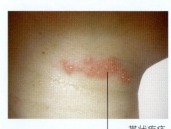
帯状疱疹

皮疹の種類

隆起性の皮疹

種類	図	説明
蕁麻疹（膨疹）		毛細血管の透過性が亢進した結果、真皮下層、皮下組織などに生じた浮腫。掻痒感を伴うことが多い
丘疹		粟粒大～エンドウマメ大（おおむね1cmぐらいまで）の皮膚の小さな盛り上がりの皮疹。主に、炎症性反応によるもの
結節		直径約1cm～クルミ大までの充実性皮疹
水疱		表皮と真皮の間に漿液成分（血液成分や細胞液）がたまり、隆起したもの
膿疱		表皮と真皮の間に白や黄白色の膿がたまり隆起したもの

陥凹性の皮疹

種類	図	説明
びらん		真皮に及ばない表皮組織の欠損
潰瘍	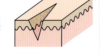	表皮と真皮の深い欠損、出血を伴う
亀裂		表皮深層から真皮に及ぶ、細い線状の皮膚の切れ目

フィジカルアセスメントの実際

病変部の視診・触診

【皮疹の表現・配列】

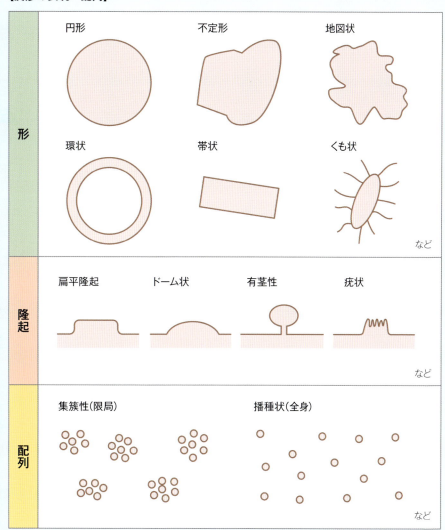

清水宏：あたらしい皮膚科学, 第2版. 中山書店, p73, 2011をもとに作成

爪の視診

【爪の色・形・病変】
- 肥厚：疥癬・真菌感染
- 陥入爪：爪の端が尖った状態になり指の肉に食い込んでいく爪の変形
- 蒼白な爪：貧血徴候
- バチ状指：慢性呼吸不全・先天性心疾患の徴候（爪は薄く、暗紫色のチアノーゼが透けてみえることが多い）(p88参照)

爪白癬

CHAPTER 2

全身の皮膚の視診と触診

変化している部位の大きさ、分布、配置を観察します。四肢関節の屈曲側、頭頸部、体幹後面、下肢の爪、頭髪や陰毛部を見落とさないように注意します。滲出液がある場合には手袋を着用します。

色		
皮膚色	状態と主な原因機序	疑われる病態例
色素沈着(茶褐色)	体内に色素が病的に出現することで生じる	アジソン病、下垂体腫瘍など
色素喪失(白色)	メラニン産出障害などで生じる	尋常性白斑など
発赤(赤色)	皮膚の炎症などで生じる	ウイルス感染、接触性皮膚炎、アレルギー反応など
蒼白(青白色)	血流または赤血球の減少により生じる	循環不全、ショックなど
チアノーゼ(紫色)	酸素欠乏状態 中枢性:進行した肺疾患などで酸素が全身に供給されにくいことから生じる 末梢性:四肢など末梢への血流の低下により生じる	中枢性:進行した肺疾患、先天性心疾患、ヘモグロビン異常など 末梢性:下肢閉塞性動脈硬化症など
黄疸(黄色)	皮膚・爪床の他に眼球などにもみられる。血清ビリルビンが2mg/dL以上になると顕著に現れる	肝疾患・過度の溶血など
湿っているか/乾燥しているか		
湿潤	交感神経活動の亢進などにより生じる	循環不全・低血糖など
乾燥	皮膚の水分保持機能、皮脂分泌機能低下など	老化・脱水など
温度(指背を使用して触診)		
高温	体温上昇により生じる	発熱、甲状腺機能亢進症など
低温	低体温症や末梢循環不全などにより生じる	甲状腺機能低下症など
局所(発赤部)の高温	炎症反応により局所の血流が増加することなどにより生じる	炎症・蜂窩織炎など
手触り		
粗い	代謝の低下などにより生じる	甲状腺機能低下症など
滑らか	代謝の亢進などにより生じる	甲状腺機能亢進症など
可動性・緊張性		
可動性(容易につまめる)	可動性の低下は浮腫などにより生じる	浮腫を生じる疾患、手術創の癒着など
緊張性(元に戻る速さ)	緊張性の低下は脱水・老化などにより生じる	老化・脱水など

CHECK! 薬剤が原因で起こる皮疹

臨床でよくみる皮疹の一つに薬疹があります。原因となる薬剤は抗生物質・合成抗菌薬、循環器用薬、造影剤、鎮痛薬、抗がん剤などがあげられます。薬剤の投与中・投与後に何らかの皮疹が出現した場合は、必ず薬疹の可能性を念頭におき観察します。また、薬疹はアナフィラキシーショックのような重篤な症状を引き起こすこともあります。

薬疹が疑われる場合には、直ちに薬剤の投与を中止し、皮疹や全身状態の観察、医師への報告、症状への対応を迅速に行うことが大切です。問診では医療薬剤に限らず、市販薬や健康食品に至るまで細かく話を聴き、多剤併用による薬剤間相互作用についても注意が必要です。

CHECK! 褥瘡の分類

褥瘡とは、身体の一部が長時間圧迫され続けることで血流が阻害され、その部位の皮膚や深部組織が非可逆性の壊死に陥った状態のことです。骨突出部である仙骨部、大転子部などが好発部位といわれています。
胃管の継続的な圧迫によって鼻翼などにできることもあります。
褥創の深達度分類には一般的に、NPUAP（National Pressure Ulcer Advisory Panel）の褥創深達度分類などが用いられます。

NPUAPの褥瘡分類

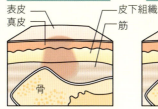

圧力および/または剪断力によって生じる皮下軟部組織の損傷に起因する、限局性の紫または栗色の皮膚変色

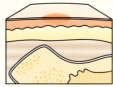

紅斑（圧迫しても蒼白にならない）

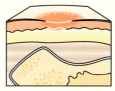

真皮に及ぶ損傷（水疱の形成）

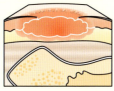

皮膚全層および皮下組織に至る深在性筋膜に及ぶ損傷

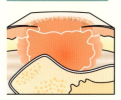

筋・骨支持組織に及ぶ損傷

National Pressure Ulcer Advisory Panel(NPUAP)の褥瘡分類（2007年）

CHAPTER 2

リンパ系

身体の中に病原体が侵入し感染が起こると、リンパ管によって運ばれた病原体はリンパ節で捕らえられ、増殖が阻止されます。しかし、病原体の数が多かったり増殖機能が強かったりした場合は、リンパ節で増殖や炎症を起こし、リンパ節が腫脹します。感染、腫瘍細胞の増殖、リンパ節郭清術後のリンパ液循環不良などの徴候をアセスメントすることにより、早期の治療や看護援助につなげていくことが大切です。

STUDY　リンパ系の解剖

● **リンパ系とは**

リンパ系とは、リンパ性器官（胸腺、脾臓、扁桃、腸粘膜に存在するリンパ組織）と全身のリンパ節やリンパ管、そこを流れるリンパ液のことをいいます。

リンパ管は全身に張り巡らされ、静脈と交通し、リンパ液が還流しています。身体の右上半身のリンパ液は右リンパ本幹に集まり、右本幹は右頸静脈と右鎖骨下静脈の合流点に注いでいます。右上半身以外のリンパ液は胸管に集まり、左内頸静脈と左鎖骨下静脈の合流点に注いでいます。

●

リンパ系には主に2つの機能があります。
1つは、全身のリンパ管において余分な水分を吸収し、体液循環のコントロールを行う機能です。もう1つは、侵入した異物や病原体、体内で発生した不要物を処理する免疫系の機能です。

図中ラベル：内頸静脈、右鎖骨下静脈、右鎖骨下リンパ本管、頸リンパ節、腋窩リンパ節、胸管、脾臓、胸リンパ節、下大静脈、腸リンパ本管、鼠径リンパ節

坂井建雄, 河原克雅総編集：カラー図解　人体の正常構造と機能　全10巻縮刷版, 日本医事新報社, p149, 2008をもとに作成

リンパ系についての問診

● **自覚症状**：
頸・腋窩・鼠径などのしこり、熱感、疼痛の有無、症状の出現時期、増強時の状況、日常生活の支障
● **生活歴**：
年齢・性別・職業・活動レベル、食事の状況
● **既往歴**：
悪性腫瘍（過去の治療歴）、全身性の疾患
● **現病歴**：
治療法（薬物療法・化学療法・放射線療法・手術療法、特にリンパ節郭清術の有無）

頭頸部リンパ節の触診

リンパ節の触診は、患者の訴えがあった部位から始め、リンパ節の腫脹や圧痛の有無に注意しながら進めていきます。

頭頸部のリンパ液の流れには、皮膚からの流れと口腔・咽頭からの流れがあります。頸部のリンパ節は、鎖骨・胸鎖乳突筋・僧帽筋に囲まれた後頸三角部を手がかりにして位置を探し、触知します。リンパ節は通常触知できませんが、炎症や悪性腫瘍の転移などがあるとコリコリした腫瘤が触れます。

頭頸部リンパ節

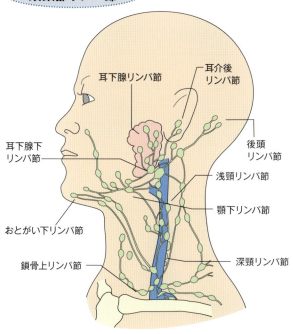

後頸三角

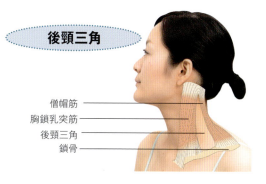

Step1　後頭リンパ節→耳介後リンパ節→耳下腺リンパ節→耳下腺下リンパ節→顎下リンパ節→おとがい下リンパ節

後頭リンパ節

後頭リンパ節は、後頭部の正中にある後頭隆起から横および下方に2cmずつ離れたあたりにあります。

耳介後リンパ節

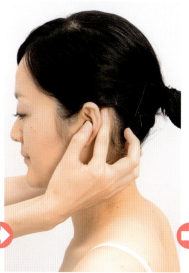

耳介後リンパ節は、耳介後の乳様突起の上にあります。

耳下腺リンパ節

耳下腺リンパ節は、耳珠の少し前を手指の腹にて触診します。

耳下腺下リンパ節	顎下リンパ節	おとがい下リンパ節

耳下腺下リンパ節は、下顎角の奥を手指の腹で触診します。	顎下リンパ節は、下顎骨の裏側にあり、下顎骨の裏を探るように触診します。	おとがい下リンパ節は、下顎骨の裏側にあるので、下顎骨の裏を探るように触診します。

Step2　後頸リンパ節→浅頸リンパ節→深頸リンパ節→鎖骨上リンパ節

後頸リンパ節	浅頸リンパ節	深頸リンパ節

後頸リンパ節は後頸三角内にあります。	浅頸リンパ節は胸鎖乳突筋の上にあります。	深頸リンパ節は胸鎖乳突筋の下に隠れています。

鎖骨上リンパ節	

鎖骨上リンパ節は、鎖骨の上縁に指を入れて掘るようにしながら、鎖骨の下に隠れているリンパ節の腫脹を探します。	

所　見	
リンパ節腫脹部位	予測される疾患
後頭リンパ節・耳介後リンパ節	頭皮の皮疹など。局所の病変または、風疹などの全身性の疾患
耳下腺リンパ節	局所の病変または、流行性結膜炎などの眼の疾患
耳下腺下リンパ節	扁桃腺炎（風邪など）
顎下リンパ節・おとがい下リンパ節	歯肉炎やう歯
後頸リンパ節・浅頸リンパ節	全身性単核症
鎖骨上リンパ節	悪性腫瘍の転移（特に消化管や肝臓など腹部の腫瘍）

下肢リンパ節の触診

下肢リンパ系は静脈系に沿い、深部リンパ系と表在性リンパ系からなります。表在性リンパ節（水平群・垂直群）のみが触知可能です。下肢の表在性リンパ管は、膝窩部の辺りで深部リンパ管に合流します。リンパ節の腫脹や下肢の浮腫の有無に注目して、観察します。

鼠径リンパ節の触診

鼠径リンパ節

鼠径部を手指の腹で触診します。
膝を曲げ下肢を軽度外転させると、筋肉が弛緩し触知しやすくなります。

	所　見
鼠径リンパ節腫脹	下腿・大腿の感染、外陰部・陰茎・陰嚢・会陰・臀部領域・尿道・肛門管・膣などの感染や腫瘍

CHECK! 浮腫の視診・触診

浮腫の原因は、主に次の4つが考えられます。
❶ 毛細血管静水圧の上昇（心不全・腎不全など）
❷ 血漿膠質浸透圧の低下（肝硬変・低栄養など）
❸ 毛細血管の透過性の亢進（炎症・熱傷・血管浮腫など）
❹ リンパ管の輸送障害（原発性・悪性腫瘍・手術・放射線療法・外傷など）
浮腫がある場合は、皮膚が脆弱になっていることが多いため、触診の際には傷つけないよう注意します。

観察項目	
	● 出現部位・範囲・程度（圧痕の有無など）・左右差
	● 皮膚の色調、乾燥・硬さ
	● 炎症・疼痛・知覚鈍麻
	● 関節可動性の障害

甲状腺・副甲状腺

甲状腺の機能亢進や甲状腺炎などは、最初の徴候を触診でとらえることができる場合があります。易疲労感や発汗多過、食欲亢進などの自覚症状の有無とあわせて、アセスメントします。

STUDY　甲状腺の解剖

● **甲状腺と副甲状腺とは**
甲状腺は代謝を促進し発育を促すホルモンや、血中のカルシウム値を下げ、骨形成を促進するホルモンを産生・貯蔵する働きをします。甲状腺の機能が亢進すると基礎代謝が亢進し、機能が低下すると代謝や成長機能が低下します。

甲状腺は、気管と咽頭を包み込む蝶のような形をしています。左右両葉とその間をつなぐ甲状腺峡部からなります。

甲状腺の裏側には、米粒のような上皮小体（副甲状腺）が4つ張り付いています。上皮小体はカルシウムとリンの代謝を調節し、骨破壊を促進するホルモンを産生しています。

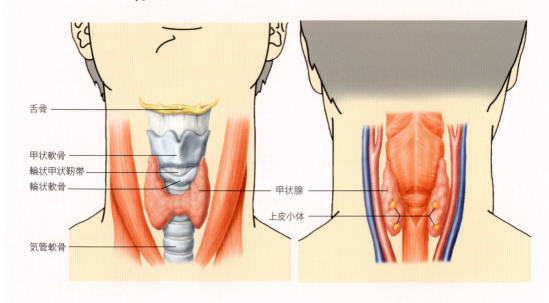

甲状腺についての問診		● 自覚症状・既往歴など ● 甲状腺機能亢進症：眼球突出、多汗、動悸、頻脈、食欲増進、不眠など ● 甲状腺機能低下症：発汗の減少、嗄声、便秘、皮膚の乾燥など

甲状腺の視診・触診

甲状腺の視診

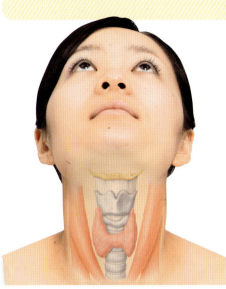

頭部を少し後ろへ傾けてもらい、最初に輪状軟骨の位置を確かめます。のど仏といわれる咽頭の突起部の下に、輪状軟骨があり、この少し下に甲状腺峡部上縁があります。男性・高齢者は一般に女性より低い位置にあります。だいたいの位置を確認したら、空嚥下してもらい、甲状腺の周囲の左右の位置に注目して、上方への動きに気をつけて視診をします。

正常	● 嚥下時に左右とも上方に動き、安静時の位置に戻る
異常	● 甲状腺腫大：嚥下時に上下運動はあるが、下方の境界が左右対称ではない

甲状腺の触診

正面からの触診

後方からの触診
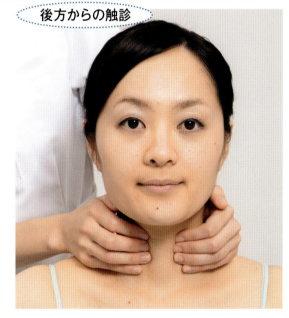

患者の正面から触診する方法と、後方から触診する方法があります。どちらの場合も、まず甲状腺峡部を触診し、そこから左右両葉へと触診の範囲を広げていきます。気管の偏位や左右差に注意しながら、甲状腺の腫大や圧痛の有無を確認します。甲状腺が腫大していれば、触診しながら嚥下運動をしてもらうと、気管に沿って上下に動く甲状腺を触知できます。

正常	● 甲状腺左右葉は、通常母指程度の大きさであるため、ほとんど触知できない
異常	● 結節や硬結などが触れる、左右差がある、圧痛がある場合は甲状腺の疾患が考えられる

CHAPTER 2

身体を守る:フィジカルアセスメントの内容と進め方

問診

項目	内容
基礎情報	年齢・性別・身長・体重・職業・活動レベル・食事・既往歴(悪性腫瘍：過去の治療歴、全身性の疾患)
現病歴	治療内容(薬物療法・化学療法・放射線療法・手術療法、特にリンパ節郭清術の有無)
皮膚や爪に関する情報	皮膚・爪病変の自覚症状：疼痛・掻痒感・発疹・発赤・出血・滲出液の有無、症状の出現時期、症状増強時の状況、日常生活の支障
リンパ系に関する情報	リンパ節腫脹の自覚症状：しこり・疼痛・可動性・増大状況
浮腫に関する情報	自覚症状：疼痛、知覚障害、関節可動性、日常生活の支障
甲状腺に関する情報	易疲労感・脱力感・食欲亢進・体重減少・イライラ感(甲状腺機能亢進症)、発汗の減少・便秘・皮膚の乾燥(甲状腺機能低下症)

視診・触診

項目	内容
皮膚・爪・頭皮・毛髪	色：色素沈着・色素喪失・発赤・蒼白・チアノーゼ・黄疸 出血：点状出血・紫斑・血腫 湿潤：乾燥・湿潤・脂漏性 温度：高温・低温、局所の高温 可動性・緊張：皮膚が容易につまめる(可動性)、元に戻る速さ(緊張性) 皮疹：色・形、大きさ、可動性、硬さ、分布部位 爪の病変：色・形状 頭皮：皮疹・腫瘤・虱・粃糠疹(ふけ)の有無 毛髪：量・脱毛の有無
リンパ節	リンパ節の腫脹・疼痛に注意しながら視診・触診を行う
頭頸部リンパ節	観察順1：後頭リンパ節→耳介後リンパ節→耳下腺リンパ節→耳下腺下リンパ節→顎下リンパ節→おとがい下リンパ節 観察順2：後頸リンパ節→浅頸リンパ節→深頸リンパ節→鎖骨上リンパ節
胸部・腋窩リンパ節	セクシャリティの項参照(p218)
下肢リンパ節	鼠径リンパ節(水平群・垂直群)
浮腫	浮腫の部位・範囲・程度(圧痕の有無)、左右差、皮膚の状態、炎症、触診による疼痛、知覚鈍麻
甲状腺	甲状腺の位置を確認し、動きに注目して視診・触診を行い、腫大の有無を観察する

―― フィジカルアセスメントの実際

CASE 身体を守る：事例

72歳・男性／3日前より背中に痛みがあり、発疹が出現。皮疹に水がたまってきたため受診

問診

72歳・男性
背中に痛みがあり発疹が出現。
市販の外用薬を塗布したが、
皮疹に水がたまり、受診

基本情報
- 身長170cm、体重62kg、無職（元中学校教諭）
- 妻と2人暮らし（娘2人既婚）
- 2週間前より妻が体調を崩して入院、毎日病院に看病に

VS
- BT=36.7℃
- P=70（整）回/分
- R=16回/分
- BP=120/68mmHg

- 小学生の頃（年齢不明）、水痘

- 看病による疲労のためか、1週間前より食事がとれず疲労感を自覚
- 3日前より背部左下にぴりぴりした痛みを自覚、紅斑が出現
- 市販の外用薬を塗布
- 昨日より水疱形成
- 痒いのではなく、ぴりぴりする

視診・触診
- 肋間神経に沿って小水疱が帯状に認められる
- 一部水疱が破れ、滲出液が少量ガーゼに付着している
- 膿疱はみられない
- 水疱は限局しており、全身への広がりはみられない

フィジカルアセスメントの思考過程

- 突然の妻の入院により、慣れない家事を行いながら、毎日病院に通うことで疲労が蓄積し、免疫機能低下状態であったと考えられる

- 水痘の既往
- 疼痛を伴う
- 皮疹の出現部位が帯状
- 紅斑から水疱へ移行
以上から帯状疱疹が疑われる

- 現在、水疱から滲出液が出ているため、他者への感染性が高いと考えられる
- 疼痛については、皮疹が軽快後も長期にわたり続く可能性がある
- 皮疹の治療と共に疼痛への対処療法が必要である

結論
免疫機能が低下している状況であり、水痘の既往があること、皮疹の出現部位、疼痛を伴うことなどから帯状疱疹であると考えられる。
医師の診察を受け、内服・外用薬による治療が開始されることが望ましい。妻の病状も心配であるが、無理を続けると悪化することも考えられる。休養をとり、十分な栄養をとることが望ましいが、1人で全て行うのは難しいため、家族の協力を得るなどの調整が必要である。

食べる・栄養をとりこむ

CHAPTER 2 フィジカルアセスメントの実際

人間は、食物を「食べること」を通して、栄養素を身体にとりこみ、生体の機能を維持しています。食べることは、食物を歯で噛み砕き唾液と混ぜて「咀嚼する」、噛み砕いた食物を食塊にして「嚥下」し食道に送り込む、食塊を胃や小腸で「消化」し栄養素や水分を「吸収する」、というプロセスから成り立ちます。「食べること」は空腹を満たし、満足感が生まれ、不安・緊張を和らげる心理的な意義もあります。また、食行動は周囲の人とのかかわり、社会・文化的背景と結びついており、社会的意義の深い生活行動です。

観察項目

咀嚼し、嚥下する

1 問診	●生活歴・既往歴・現病歴（治療内容）、咀嚼・嚥下の状況	
2 視診	●顔色・貧血・栄養状態・外観・口唇・口腔、食事状況	
3 触診	●側頭下顎関節の動き、空嚥下時の喉頭挙上	

消化・吸収する

1 問診	●生活歴・既往歴・現病歴（治療内容）、消化・吸収に関する情報、腹痛と関連する疾患	
2 視診	●黄疸・内出血・出血斑・腹壁静脈の怒張など	
3 聴診	●腸音	
4 打診	●肝臓の大きさを推定	
5 触診	●上腹部（浅い・深い）、肝臓	

フィジカルアセスメントの実際

咀嚼し、嚥下する

「咀嚼し、嚥下する」ことは、食べることの出発点です。問診・視診・触診により、咀嚼・嚥下のアセスメントを進めていきます。

咀嚼・嚥下の問診

基本情報と、咀嚼・嚥下に焦点を当てた情報をよく聴き取ります。咀嚼・嚥下に変調が考えられる場合には、普段の食事状況をよく知る人物から聴き取ることもあります。

- 生活歴：年齢・身長・体重・食事摂取量・飲酒・喫煙・食欲・体重減少・筋力低下・意識レベル
- 既往歴：脳血管障害、神経・筋疾患、口腔・咽頭がん、食道がん、気管切開、肝臓疾患、食道静脈瘤、胃潰瘍、誤嚥性肺炎、ポリープ、胃がん、認知症
- 現病歴・治療内容

咀嚼・嚥下に関する情報
- 食事がいつまでも口の中に残る
- 流涎がこぼれる
- 口から食物がこぼれる
- むせる（ご飯を食べたとき、お茶を飲んだとき、飲み込む前、飲み込む時、飲み込んだ後、むせやすい食物の形状）
- 飲み込みにくさ、飲み込んだ食物がのどにひっかかる感じ
- 食物が胸につかえる、胸やけがある
- 食事に要する時間、食物摂取時の姿勢
- 嚥下時の痛み、食事摂取に伴う苦痛、食事を摂取しようとする意欲

CHAPTER 2 食べる・栄養をとりこむ

CHAPTER 2

咀嚼・嚥下機能の視診

栄養状態を把握するために体格や体型を観察し、爪や眼瞼結膜の色により貧血の有無を視診します。咀嚼に変調がある場合には口腔や口唇の状態をみます。
食事の援助や口腔ケアの時に、注意深く患者の状況を観察します。

観察項目
- 顔色
- 貧血：皮膚、眼瞼結膜、爪
- 栄養状態：肥満、やせ
- 外観：顔面の左右対称性、眼球結膜、眼瞼結膜
- 口唇：色、亀裂・潰瘍の有無
- 口腔：
  - 開口：開口障害・閉鎖障害
  - 口腔粘膜の状態：色・乾燥
  - 舌：色・形・左右対称性・運動麻痺・腫瘤・潰瘍・舌苔
  - 軟口蓋・咽頭・扁桃：色、発赤・腫脹
  - 歯と歯肉：義歯（種類と適合状態）、歯の本数、歯肉の色、歯肉の発赤・腫脹
- 痰・咳の有無

嚥下機能の評価
- 反復唾液嚥下テスト：30秒間で唾液を何回飲み込めるかをみる
  - 3回未満⇒嚥下障害の可能性が高い

CHECK！ 食物の形態と嚥下障害

嚥下障害には、口腔から食道の構造に障害があり食物の通過が妨げられる器質的原因、神経系の障害や加齢によって食物をうまく送り込めなくなる機能的原因があります。
特に、脳梗塞では嚥下障害が認められることが多く、誤嚥性肺炎を併発することもあります。そのため、誤嚥せず摂食できるよう、回復期には嚥下のリハビリテーションも行われます。
嚥下障害がある場合、誤嚥しやすい食物の形態をよく聴き取り観察することで、障害の部位と内容をアセスメントします。

流動物嚥下障害
咽頭・喉頭の炎症、腫瘍や神経麻痺による口腔・咽喉頭性嚥下障害にみられ、誤嚥を伴うことがあります

固形物嚥下障害
食道がんなどの食道性嚥下障害にみられます

フィジカルアセスメントの実際

正常
- 顔色は血色がよい、眼瞼結膜はピンク色、爪は横筋がなく色はピンク色、肥満や痩せがない
- 顔面麻痺や口角下垂がない
- 眼球結膜は白色
- 口唇は亀裂や潰瘍がない
- 開口はスムーズで閉鎖障害がない
- 口腔粘膜はピンク色で湿潤、舌はピンク色で潰瘍や発赤・腫瘤がなく左右対称、運動障害はない
- 軟口蓋・咽頭・扁桃はピンク色で発赤や腫脹がない、歯肉はピンク色で発赤や潰瘍はない

異常
- 顔色が青白い、眼瞼結膜が蒼白、爪に横筋がある、肥満や痩せがある
- 顔面麻痺や口角下垂がある
- 眼球結膜が黄染している
- 口唇に亀裂や潰瘍がある
- 開口時に顎関節の音がしたり、疼痛がある、閉鎖障害がある
- 口腔粘膜に発赤や潰瘍がある、あるいは乾燥している
- 舌に舌苔や潰瘍・発赤・腫瘤が認められる、左右非対称、運動障害がある
- 軟口蓋・咽頭・扁桃は発赤や腫脹がある
- 歯肉に発赤や腫脹、潰瘍がある

CHECK! 嚥下・咀嚼障害のサイン

食事の際に、次のことがらが観察された場合、嚥下や咀嚼に障害を抱えている可能性があります。
食事中の患者さんの動作や咀嚼・嚥下の様子を注意深く見守ることは、訴えを聴くことと同様に、アセスメントとしても重要です。

- 食事に注意が向かない、他のことに気をとられ食行動が中断する
- 口に入れる食物の量が極端に多い
- 食べこぼしが多い
- いつまでも飲み込まずに口の中に食物をためている
- 努力して飲み込んでいる
- お茶や汁ものでむせる
- ご飯でむせる
- 1回の食事に30分以上かかる

CHAPTER 2 食べる・栄養をとりこむ

CHAPTER 2

STUDY　嚥下のしくみ

2-21

 嚥下は、食物と飲み物を認知する高次機能、食物を口まで運び咀嚼する随意運動、嚥下反射による嚥下、蠕動運動により食道を通過するといった複合的なプロセスにより成り立っています。

第1期：先行期

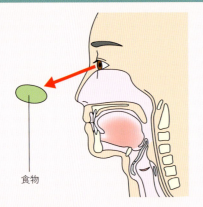

食物

高次機能→食物の認知：
食欲へ影響し、覚醒レベルを活性化して唾液の分泌を促す

第2期：準備期

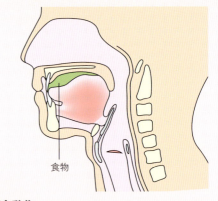

食物

摂食動作：
食べることを目的に、脳において情報の統合と判断が行われ、指先の巧緻動作によって摂食動作が可能となる

咀嚼・食塊形成：
口唇、舌、頬、歯、歯茎、顎関節、口腔周辺筋群などを用いて食物を噛み砕く。唾液が分泌され、咀嚼された食物の味が口腔内に広がり、味蕾細胞を刺激して食欲を増進する

第3期：口腔期　第4期：咽頭期　第5期：食道期

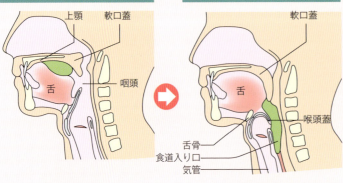
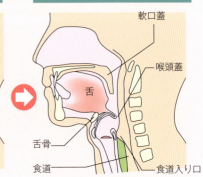

随意運動→
舌による咽頭への送り込み：
形成された食塊が舌の複雑な運動で咽頭に送られる

嚥下反射→
咽頭通過、咽頭の閉鎖、呼吸の停止：
食塊が気管に入り込むのを防ぎ、食道へと食塊を送り込む

蠕動運動→食道通過：
食道へと送り込まれた食塊を、食道の蠕動運動で胃へと送り込む

フィジカルアセスメントの実際

咀嚼・嚥下機能の触診

問診の内容から、必要であれば触診を行います。
本項では、側頭下顎関節と喉頭挙上の動きをみるための触診を取り上げます。

側頭下顎関節の動き

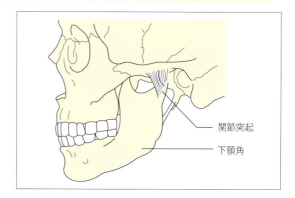

両側の下顎関節に指3本を当て、口を開閉してもらいます。開口が十分にできない、開口時に痛みや音がする場合に行います。

正常	● 開口が十分にできる、開口時に痛みがない、開口時に音がしない
異常	● 開口が十分にできない、開口時に痛みがある、開口時に音がする

空嚥下時の喉頭挙上

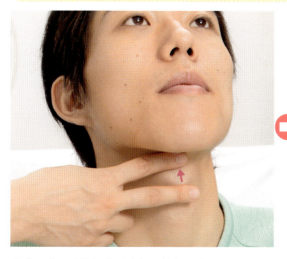
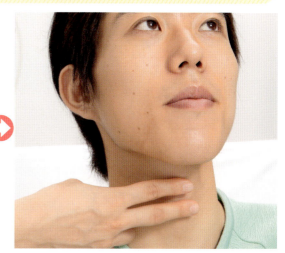

空嚥下時、舌骨と喉頭隆起に触れ、空嚥下をしてもらい、喉頭挙上の動きをみます。嚥下障害が考えられる場合に行います。
喉頭隆起の動きが触れなくてもわかる場合には、視診で行うこともあります。

正常	● 空嚥下時に喉頭が上方へ移動する（2横指）
異常	● 空嚥下時に喉頭の上方移動が弱い（2横指未満）、小さい、遅れて移動する

CHAPTER 2　食べる・栄養をとりこむ

CHAPTER 2

消化・吸収する

消化・吸収を担う器官の働きを、問診・視診・打診・触診などによりアセスメントします。

消化・吸収の問診

- 生活歴：年齢、職業、1日の生活パターン、ライフスタイルの変化、食欲、食事摂取量、食習慣、喫煙、飲酒、身長、体重、体重増加・減少、視覚・嗅覚・味覚の変化
- 既往歴：胃・十二指腸疾患、肝・胆・膵疾患、糖尿病、心疾患、呼吸器疾患
- 現病歴・治療内容：薬物療法・化学療法・放射線療法・手術療法

消化・吸収に関する情報
- 食欲不振・嘔気・嘔吐・吐血
- 上腹部不快感・上腹部膨満感・腹痛・便秘・下痢・タール便
- 全身倦怠感・易疲労感・発熱

腹痛（上腹部）と関連する疾患
- 十二指腸潰瘍：空腹時の心窩部痛
- 胃潰瘍：食後1〜2時間の心窩部痛
- 慢性胃炎：食後1〜2時間の心窩部重圧感や膨満感
- 膵炎：脂肪分の多い食物摂取後や飲酒後の痛み

STUDY　消化管の機能

食道から送り込まれた食物は胃で胃液とよく混ぜ合わされ、小腸で膵液・胆汁などにより吸収しやすい状態に消化されます。膵臓は消化酵素である膵液をつくり、またインスリンを分泌して血糖値を調節します。

肝臓は胆汁を分泌し、栄養分の同化・解毒・貯蔵などの働きをしています。

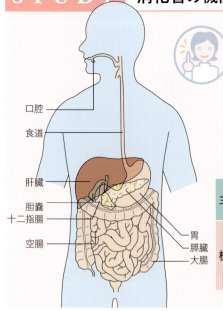

主な消化管		口腔	胃	小腸 （十二指腸、空腸、回腸）	大腸 （結腸）
機能	消化	唾液による糖質（でんぷん）の部分的分解	胃液によるタンパク質の加水分解	膵液・腸液による糖質、脂質、タンパク質の分解	
	吸収		水分、アルコール	栄養素、水分	水分、一部の電解質

上腹部の視診・触診

上腹部の視診では、肝臓・胆嚢・膵臓疾患や溶血性疾患と関連した重要な症状である黄疸、出血傾向亢進による内出血や出血斑、門脈圧亢進時や下大静脈閉塞時にみられる腹壁静脈の怒張の有無を確認します。聴診では、腸音を観察します（p195参照）。

正常
- 皮膚はなめらかで肌色

異常
- 皮膚の乾燥や黄染（黄褐色）・出血斑・内出血が認められる
- 上腹部に不均等な膨隆がある
- 腹壁静脈の怒張が認められる
- 黄疸：眼球黄染、皮膚黄染、褐色尿
- ＊黄疸が認められる場合には、羽ばたき振戦（上腕を伸展させ手を背屈させると、手が手首から上下に振戦すること）、肝性口臭（口臭がアンモニアのようなにおい）の有無も観察する

STUDY 腹部の分割法

4分割領域・9分割領域とは

腹部は、胸骨中線と臍で4領域に分割する考え方、肋骨弓下縁と左右上前腸骨棘を結ぶ線、鎖骨中線（腹直筋の外縁）で9領域に分割する考え方があります。各領域は、解剖学的に各臓器と相関しています。下腹部の所見は、解剖学的な名称や部位を用いて記録します。

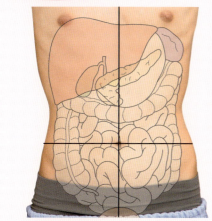

4分割

腹部4分割領域の解剖学的相関

右上腹部	左上腹部
肝臓・胆嚢／胃の幽門輪 十二指腸／膵頭部／右副腎 右腎の一部／結腸の肝彎曲部 上行結腸・横行結腸の一部分	肝臓左葉／脾臓／胃／膵体部 左副腎／左腎の一部分 結腸の脾彎曲部 横行結腸と下行結腸の一部分
右下腹部	**左下腹部**
右腎下極／盲腸・虫垂 上行結腸の一部分／膀胱（拡張時） 卵巣・卵管／子宮（腫大時） 右精索／右尿管	左腎下極／S状結腸 下行結腸の一部分 膀胱（拡張時）／卵巣・卵管 子宮（腫大時）／左精索／左尿管

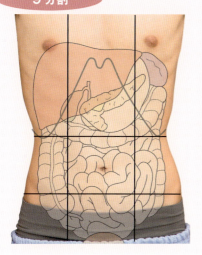

9分割

腹部9分割領域の解剖学的相関

右季肋下部	心窩部	左季肋下部
肝臓右葉／胆嚢 十二指腸の一部分 結腸の肝彎曲部 右腎の一部分 右副腎	胃の幽門側端 十二指腸 膵臓 胆嚢	胃／脾臓 膵尾部 結腸脾彎曲部 左腎上極 左副腎
右腰部	**臍部**	**左腰部**
上行結腸 右腎下部 十二指腸と空腸の一部分	大網 腸間膜 十二指腸下部 空腸・回腸	下行結腸 左腎下部 空腸・回腸の一部分
右鼠径部	**下腹部**	**左鼠径部**
盲腸／虫垂 回腸終末部 右尿管 右精索／右卵巣	回腸／虫垂 膀胱 子宮（妊娠中）	S状結腸 左尿管 左精索 左卵巣

打診による肝臓の大きさの推定

打診により肝臓の大きさを推定することで、肝臓の肥大や萎縮の有無を観察します。

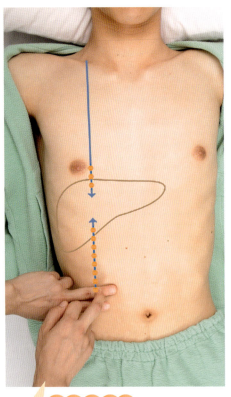

❶ 看護師は定規を準備し、患者の右側に位置します。患者は仰臥位とし腹部を露出します。看護師は手を温め、患者の右鎖骨中線を視認します。

❷ 患者にできるだけ大きく息を吸って止めてもらい、右鎖骨中線上を肺下葉の高さから下方へと肋間を打診していきます。共鳴音から濁音に変わる境界（肝濁音界の上縁）を同定したら、呼吸を再開させ、同定した肝濁音界の上縁の皮膚にペンで印をします。

❸ 患者に再度、できるだけ大きく息を吸って止めてもらい、右鎖骨中線上を臍の高さから上方に打診していきます。鼓音から濁音に変わる境界（肝濁音界の下縁）を同定したら、呼吸を再開させ、同定した肝濁音界の下縁の皮膚にペンで印をします。同定した肝濁音界の上縁と下縁の距離を定規で計測します。

POINT
- 打診音の変化で肝臓の大きさを同定します。

正常 ● 6〜12cm

異常
- 12cm以上は肝肥大で、急性・慢性肝炎、肝腫瘍、右心不全の疑いがある
- 6cm未満は肝萎縮で、肝硬変の疑いがある

肝臓のスクラッチテスト

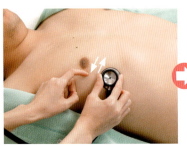  

肝臓の上に聴診器の膜面を置き、聴診しながら、打診の代わりに指でひっかくように患者の皮膚をなぞります。音が突然大きくなった部位が肝臓の上端あるいは下端の境目となるので、ペンで印をし、距離を定規で計測します。

フィジカルアセスメントの実際

上腹部の触診

上腹部の触診は、大きな腫瘤や表在性腫瘤の存在が考えられる時、上腹部での炎症が考えられる時、圧痛を知覚する部位を特定したい時、肝病変が予測され肝臓の形態や肝臓表面の性状を触知したい時に行います。

上腹部（浅い触診）

利き手の指をそろえて、手掌全体で腹壁を軽く触れます。

| 正常 | 腹壁がソフトで緊張がない、全体的に滑らかで腫瘤は触れない |
| 異常 | 腹壁が緊張し部分的に腹筋が硬くなっている（筋性防御）、大きな腫瘤や表在性の腫瘤が触れる |

上腹部（深い触診）

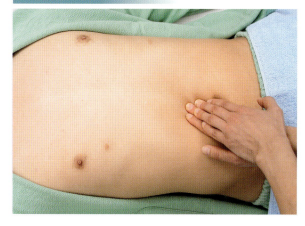

利き手の指をそろえて、手掌全体でより深く腹壁を触れ、圧痛・腫瘤の有無を観察します。
圧痛がある場合は位置を観察します。腫瘤を触知した場合は位置、大きさ、形、可動性を観察します。

| 正常 | 痛みがない、腫瘤がない |
| 異常 | 圧痛がある、腫瘤がある
＊心窩部の限局した圧痛は胃潰瘍、十二指腸潰瘍で生じる |

肝臓の触診

患者の右側に立ち、左手で患者の背部を支え、右手の指をそろえて肋骨弓下に当てます。患者に深呼吸を促し、呼気に合わせて深い触診をし、吸気時に肝臓の辺縁をとらえます。

| 正常 | 肝臓は触れない（極端に痩せている人では、触れることもある） |
| 異常 | 肝臓が硬くザラザラとした感触で触れる場合は、肝臓腫大が疑われる |

CHAPTER 2　食べる・栄養をとりこむ

CHAPTER 2

咀嚼し、嚥下する：フィジカルアセスメントの内容と進め方

問診

基礎情報	年齢・身長・体重・食事摂取量・飲酒・喫煙・食欲・体重減少・筋力低下・意識レベル
既往歴	脳血管障害、神経・筋疾患、口腔・咽頭がん、食道がん、気管切開、肝臓疾患、食道静脈瘤、胃潰瘍、誤嚥性肺炎、ポリープ、胃がん、認知症
現病歴・治療内容	

咀嚼・嚥下に関する情報

食事中	●食物がいつまでも口の中に残る ●流涎がこぼれる ●口から食物がこぼれる ●むせる ●飲み込みにくさ、飲み込んだ食物がのどにひっかかる感じ ●食物が胸につかえる、胸やけがある ●食事に要する時間、食物摂取時の姿勢 ●嚥下時の痛み、食事摂取に伴う苦痛、食事を摂取しようとする意欲

食物の形態と嚥下障害

流動物嚥下障害	咽頭・喉頭の炎症、腫瘍や神経麻痺による口腔・咽喉頭性嚥下障害にみられ、誤嚥を伴うことがある
固形物嚥下障害	食道がんなどの食道性嚥下障害にみられる

視診

貧血	皮膚、結膜、爪
栄養状態	低栄養、過剰栄養、皮下脂肪層の厚み

外観	顔色、顔面の左右対称性、眼球結膜
口唇	色、亀裂・潰瘍の有無

食事状況

食事中	●食事に注意が向かない、ほかのことに気を取られ食行動が中断する ●口に入れる食物の量が極端に多い ●食べこぼしが多い ●いつまでも飲み込まずに口の中に食物をためている ●努力して飲み込んでいる ●お茶や汁ものでむせる ●ご飯でむせる ●1回の食事に30分以上かかる

口腔

開口状態	開口障害・閉鎖障害
口腔粘膜の状態	色・乾燥
舌の状態	色・形・左右対称性・運動麻痺・腫瘤・潰瘍・舌苔
軟口蓋・咽頭・扁桃の状況	色・発赤・腫脹
歯・歯肉の状態	義歯の有無（種類と適合状態）、歯の本数、歯肉の色、歯肉の発赤・腫脹

触診

側頭下顎関節の動き	正常：開口が十分にできる、開口時に痛みがない、開口時に音がしない 異常：開口が十分にできない、開口時に痛みがある、開口時に音がする
空嚥下時の喉頭挙上	嚥下障害が考えられる場合に行う 正常：空嚥下時に喉頭が上方移動する 異常：上方移動が弱い、移動距離が小さい、空嚥下時に遅れて移動する

フィジカルアセスメントの実際

CASE 咀嚼し、嚥下する：事例

90歳・男性／脳梗塞で自宅療養中、再梗塞のため入院

90歳・男性
入院前と同様に右半身麻痺。
急性期が過ぎ、食事が始まった

問診

基本情報
- 90歳・男性、身長180cm、体重75kg
- 食事は1日3度、妻が介助、食欲あり
- 最近、下肢の筋力が低下し、介助で立位時、ふらつきあり、認知症の傾向あり

既往歴
- 3年前に脳梗塞で右半身麻痺、1年前に肺炎で入院

VS
- BT＝35.7℃
- P＝90回/分
- R＝24回/分
- BP＝176/80 mmHg
- 尿＝1,200～1,400mL／日（膀胱留置カテーテル挿入中）

咀嚼・嚥下
- 入院前、時々むせることあり
- 1回の食事に要する時間は、20～30分
- 車椅子に腰かけて食事をするが、時折体幹が斜めに傾くので、妻が姿勢を直していた
- 食事は楽しみ

視診

- 顔色良好、眼瞼結膜はピンク色
- 開口障害なし、右口角から流涎あり、口腔内乾燥
- 舌の動き右側不良
- 総義歯利用
- 口腔粘膜・歯肉に発赤・腫脹なし

食事状況
- ペースト食、プリンではむせないが、口に入れる食物の量が多い
- 食べこぼしあり、努力して飲み込んでいる
- お茶でむせる
- ベッド頭部を挙上すると、10分ほどで体幹が傾くが、自分で姿勢を直してはいない

触診

- 空嚥下時の喉頭挙上は、上方移動が弱く、空嚥下時に遅れて移動

フィジカルアセスメントの思考過程

- 脳梗塞で右半身麻痺があり、誤嚥しやすいと考えられる
- 肺炎の既往もあり、著明な誤嚥は認められないが、唾液や食物を誤嚥する可能性もある
- 食事時に、姿勢の保持が不十分なため、誤嚥しやすい体位になっている可能性もある

- 口腔内が乾燥し、咀嚼と嚥下がしにくい状況
- 舌の動きがやや不良なことから、口腔内の右側に食物残渣がある可能性が高い
- 水や汁ものは誤嚥する可能性が高い
- 姿勢保持が不十分で、誤嚥しやすい体位となっている

- 嚥下機能の低下が認められる

結論
嚥下機能の低下が認められ、誤嚥の危険性がある。誤嚥性肺炎の徴候は今のところないが、今後、症状出現の可能性がある。主治医や栄養サポートチームと相談し、食事内容の調整、適切な姿勢の保持などの誤嚥予防のケアが求められる。

CHAPTER 2

消化・吸収する：フィジカルアセスメントの内容と進め方

問診

項目	内容
基礎情報	年齢・職業、1日の生活パターン、ライフスタイルの変化、食欲・食事摂取量・食習慣・喫煙・飲酒・身長・体重（増加・減少）、視覚・嗅覚・味覚の変化
既往歴	胃・十二指腸疾患、肝・胆・膵疾患、糖尿病、心疾患、呼吸器疾患
現病歴・治療内容	薬物療法・化学療法・放射線療法・手術療法

消化・吸収に関する情報

- 食欲不振・嘔気・嘔吐・吐血
- 上腹部不快感・上腹部膨満感・腹痛・便秘・下痢・タール便
- 全身倦怠感・易疲労感・発熱

腹痛（上腹部）と関連する疾患

疾患	症状
十二指腸潰瘍	空腹時の心窩部痛
胃潰瘍	食後1～2時間の痛み
慢性胃炎	食後1～2時間の心窩部重圧感や膨満感
膵炎	脂肪分の多い食物摂取後や飲酒後の痛み

視診・聴診

項目	内容
腹部の視診	正常：皮膚はなめらかで肌色 異常：皮膚の乾燥、黄染、出血斑、内出血、不均等な膨隆、腹壁静脈の怒張 黄疸：眼球黄染・皮膚黄染・褐色尿 ＊黄疸が認められる場合には、羽ばたき振戦、肝性口臭の有無も観察する
腹部の聴診	腸音

打診・触診

項目	内容
肝臓の大きさ推定	肝臓の肥大や萎縮
上腹部の軽い触診	腹壁の緊張や腫瘤の有無
上腹部の深い触診	圧痛・腫瘤の有無
肝臓の触診	肝臓腫大の有無

CASE 消化・吸収する：事例

58歳・男性／心窩部痛と胃部不快感があり、受診

58歳・男性
心窩部痛と胃部不快感があり、
市販の胃薬で様子をみるが、食物が
胸につかえる感じがあり受診

基本情報
- 58歳、男性、身長180cm、体重60kg（現在）
- 食事は不規則で2回/日、好き嫌いは特になし
- 喫煙20本/日×38年、飲酒はしない

既往歴
- 30歳で胃潰瘍の既往あり、現在治療している病気はない

VS
- BT＝36.7℃
- P＝98回/分
- R＝24回/分
- BP＝110/68 mmHg

- 3か月ぐらい前から胃の不快感、食後の膨満感あり
- つらいとき、薬局の胃薬を服用
- 1か月ほど前から、徐々に心窩部の痛みが増強
- 食欲がなく、食事は1日3回から2回となり摂取量が減少、体重は3か月間で6kg減少
- 嘔吐なし
- 疲れやすく、時々、動悸や息切れあり
- 便は黒色、2日に1度排便あり

問診

視診・聴診

視診
- 眼瞼結膜が白色
- 眼球黄染なし
- 腹部膨隆なし
- 皮膚は肌色

聴診
- 腸蠕動音：5～10秒ごとに不規則な音があり、異常なし

打診・触診

打診
- 全体をまんべんなく打診：全体的に鼓音
- 肝濁音界は8cmで異常なし

触診
- 浅い触診：腹壁はソフトで緊張なし、腫瘤は触れない
- 深い触診：心窩部の限局した圧痛あり、腫瘤は触れない

フィジカルアセスメントの思考過程

- 心窩部痛と胃部不快感があり、食物の通過障害を伴っている
- 眼瞼結膜が白く、黒色便が続いており、動悸や息切れも出現していることから、貧血症状が進行していると考えられる
- 栄養状態の不良と消化管からの出血の可能性が考えられる
- 現時点の触診では、大きな腫瘤は触れない

結論
問診・視診の結果から、上部消化管の粘膜損傷や炎症、損傷部位からの出血とそれによる貧血が考えられる。
体重減少が著明であり、食物が胸につかえることから通過障害の存在が疑われる。疾患としては、上部消化管のがんの可能性が高い。すみやかに医師の診察を受けることが望ましい。
今後、心窩部痛の推移、消化管出血と貧血症状の状況、食物の通過障害と栄養状態について、注意深く観察を継続していく。

CHAPTER 2 フィジカルアセスメントの実際

排泄する

人間は食物や水をとりいれ、消化・吸収・代謝の結果、老廃物を体外に排出することによって健康を維持しています。排泄機能に障害が起こると、老廃物が体内に蓄積し生命を脅かすこともあります。

排泄に関するアセスメントは、健康状態を査定する一つの指標といえます。

観察項目

下腹部のフィジカルアセスメント

1 問診
- （年齢・性別・腹部の既往歴）・腹痛の部位、悪心・嘔気・嘔吐・腹満感・下痢・便秘・排ガス・腫瘤、排便時の肛門痛、下血

2 視診
- 皮膚の色調、臍の位置、輪郭、表面の動き

3 聴診
- 腸蠕動音

4 打診
- 4領域（鼓音・濁音）

5 触診
- 浅い触診/深い触診、限局性の圧痛、反動痛、腹水の有無、腹囲の測定

直腸・肛門のフィジカルアセスメント

1 問診
- 既往歴、排便に伴う症状、便通頻度、便の性状、分泌物の有無・性状

2 視診
- 肛門輪とその周囲

3 触診
- 肛門括約筋・圧痛・硬さ・表面の不整や結節

泌尿器のフィジカルアセスメント

1 問診
- 既往歴、尿の性状、排尿に伴う症状、尿量、排尿頻度・パターン、排尿にかかる時間、尿閉、乏尿、分泌物

2 打診
- 腎臓の叩打痛

3 触診
- 膀胱充満（圧痛⇒感染症）

フィジカルアセスメントの実際

下腹部のフィジカルアセスメント

下腹部は、まず問診・視診を行い、その結果から次に行う聴診・打診・触診で何をどのようにみるかを判断し、実施します。

排泄に伴う問診

★ 年齢・性別・腹部の既往歴を念頭において腹部症状を聴く

● 腹痛の有無：
  ◆ 部位（右上腹部・左上腹部・右下腹部・左下腹部・腹部全体）
  ◆ 性状（徐々に・急激に・鈍痛・疝痛・持続性・間欠性）
● 悪心・吐気・嘔吐・腹満感・下痢・便秘・排ガス・腫瘤・排便時の肛門痛・下血
  ＊ 膵炎・消化性潰瘍・腹膜炎などは再発する場合があります
● 腹部手術の既往、食事の摂取状況、内服中の薬剤（排卵誘発薬・ステロイド薬・抗生薬・消炎鎮痛薬・下剤）

排泄に伴う視診

★ 表面から見て、皮膚に傷や瘢痕、膨らみがないか、腹部表面の動きを観察

● 皮膚の観察：
  ◆ 色調・色素沈着（黄疸：肝疾患、色素沈着：アジソン病）
  ◆ 線状（表面に生じる筋）の有無
    白⇒妊娠や肥満の既往
    赤⇒クッシング病・ステロイドによる腹部膨満
  ◆ 瘢痕（手術や外傷、火傷の跡）
  ◆ 静脈の怒張（大静脈閉塞、門脈閉塞）

● 臍の位置・色：偏位⇒ヘルニア・腫瘍

● 輪郭：左右対称性、くぼみ、膨らみ
  ◆ 全体に膨んでいる：脂肪・ガス・腹水・便・腫瘍・胎児
  ◆ 全体に扁平：やせ・拒食症
  ◆ 局所的膨らみ：腹壁ヘルニア・脂肪腫
  ◆ 上部の膨らみ：大動脈瘤、胃・膵臓の腫瘤、肝臓・膵臓・腎臓の肥大
  ◆ 下部の膨らみ：膀胱・子宮の増大、卵巣・S状結腸、盲腸の腫瘤

● 表面の動き：呼吸に伴う動き
  ＊ やせた人の場合、蠕動運動や腹部大動脈の拍動が観察されるので、過剰な動きに注意

CHAPTER 2 排泄する

CHAPTER 2

CHECK! 視診による特徴的な所見

疼痛に対して七転八倒するのは胆石や尿管結石、仰臥位でじっとしているのは汎発性腹膜炎、身体を折り曲げて側臥位をとるのは急性膵炎や急性虫垂炎の可能性があります。
また、門脈や大静脈閉塞による腹壁静脈の怒張、ヘルニアによる局所的膨らみも特徴的な所見です。

疼痛への反応
身体を折り曲げた側臥位は、急性膵炎や急性虫垂炎の可能性があります。

鼠径部腫瘤
ヘルニアが考えられます。

腹壁静脈怒張
大静脈閉塞や門脈閉塞が考えられます。

血管怒張

皮膚線条
急激な皮膚の伸展で、皮膚の線維組織が破壊されることによって生じる、線のような隆起。

CHECK! 腹痛を起こす疾患と放散痛・関連痛

腹痛を起こす疾患には、特有の放散痛や関連痛がみられる場合があります。

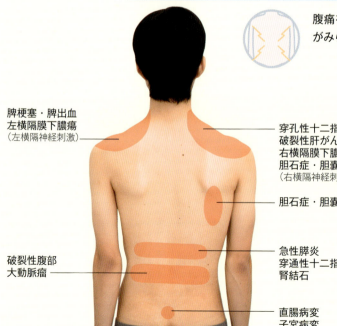

脾梗塞・脾出血
左横隔膜下膿瘍
（左横隔神経刺激）

穿孔性十二指腸潰瘍
破裂性肝がん
右横隔膜下膿瘍
胆石症・胆嚢炎
（右横隔神経刺激）

胆石症・胆嚢炎

破裂性腹部
大動脈瘤

急性膵炎
穿通性十二指腸潰瘍
腎結石

直腸病変
子宮病変

大塚敏文・益子邦洋:救急医療ファーストエイドマニュアル第3版,
インターメディカ, p188, 1997より

フィジカルアセスメントの実際

下腹部の聴診

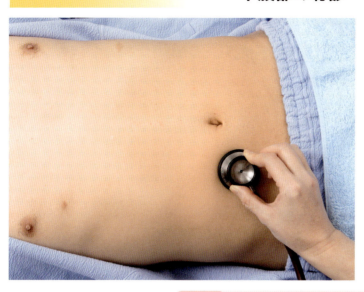

右下腹部の腸蠕動音を聴診し、腸の動きを観察します。
正常な場合は、5〜15秒ごとに不規則な音がします。
腸蠕動音は腹部全体に伝わるため、聴診は1か所のみ行います。

正常
- 5〜15秒ごとに不規則な音

異常
- 1分たっても聴取できない：腸蠕動の減少
- 5分たっても聴取できない：腸蠕動の消失（麻痺性イレウス）
- 金属音：腸管の閉塞や狭窄（機械性イレウス）

CHAPTER 2 排泄する

下腹部の打診

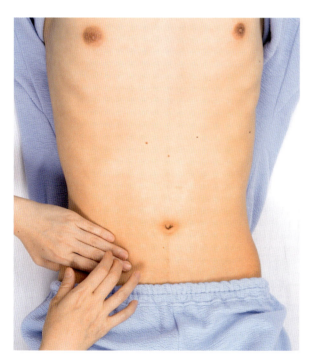

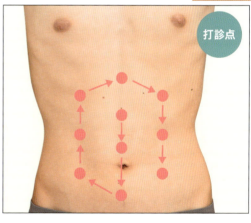

打診点

打診音
- 鼓音：ガスの貯留、腸、胃、空の膀胱
- 濁音：肝臓、脾臓、充満した膀胱、便の貯留した腸、腹水、腫瘍

＊通常、胃や腸はガスの貯留により鼓音であるが、濁音の場合は異常のことが多い

4領域をまんべんなく打診し、解剖学的臓器の位置と音の種類に注意して観察します。液体の貯留、ガス膨満、腫瘤などを大まかに知ることができます。

CHAPTER 2

下腹部の触診

2-25

浅い触診

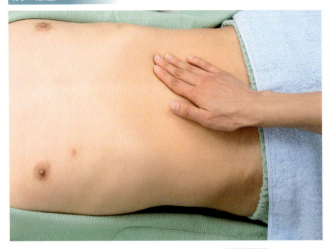

浅い触診は、炎症や腫瘤の有無を知るために行います。利き手の指をそろえ、指の腹から付け根全体で、やさしく軽く触れます。患者の表情をみながら、4領域を時計回りに実施します。

正常
- 柔らかく滑らか、腫瘤・疼痛なし

異常
- 腹壁の緊張や硬直、筋性防御（腹部の触診で触れる腹筋の病的な緊張亢進のこと。腹腔内の炎症を示唆する所見）、腫瘤や痛み

深い触診

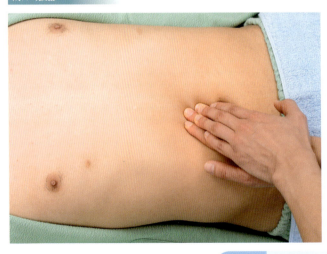

深い触診は臓器の位置や肥大、炎症や腫瘤の有無を知るために行います。利き手の指をそろえ、両手を重ね、指の腹から付け根全体で、腹部を3〜5cm圧迫しながら引くようにして4領域をまんべんなく実施します。

正常
- 腫瘤なし、圧痛なし
- 便秘：盲腸・結腸・S状結腸で便を触れ、軽度の圧痛を伴うことがある
- やせ：肝臓下縁で軽度の圧痛を訴えたり、腹部大動脈を触れ圧痛を訴えることがある

異常
- 腫瘤が触れる：大きさ、位置、硬さ、圧痛の有無、可動性の有無を触診

フィジカルアセスメントの実際

CHECK! 限局性の圧痛と反動痛

圧痛
右上前腸骨棘と臍を結んだ右1/3の点をマックバーニー点といい、急性虫垂炎の際、しばしば圧痛がみられます。

反動痛
押さえた時より離した時のほうが痛むのを反動痛（ブルンベルグ徴候）といい、腹膜炎の際、みられます。

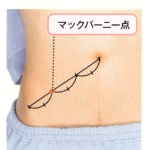

マックバーニー点

離した時のほうが痛む

CHECK! 腹膜刺激症状

急性腹膜炎に特徴的な所見を腹膜刺激症状といいます。具体的には、筋性防御、反動痛（ブルンベルグ徴候）、踵おろし衝撃試験での鋭い痛み、があげられます。

踵おろし衝撃試験

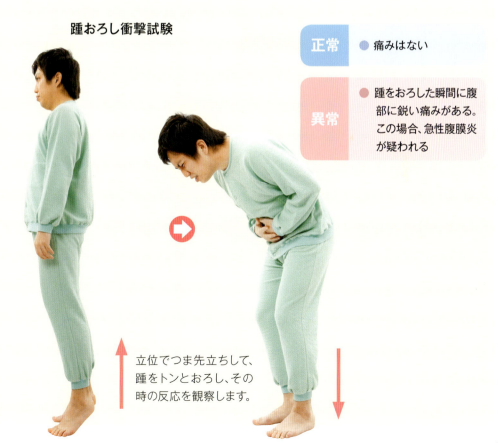

| 正常 | ● 痛みはない |
| 異常 | ● 踵をおろした瞬間に腹部に鋭い痛みがある。この場合、急性腹膜炎が疑われる |

立位でつま先立ちして、踵をトンとおろし、その時の反応を観察します。

CHAPTER 2 排泄する

CHAPTER 2

腹水の有無の確認

肝硬変・肝臓がん・腹膜播種転移などでは、腹水が貯留する場合があります。
打診で腹水の有無を確認し、貯留が認められれば、体重測定・腹囲測定を定期的に実施して腹水の増減をチェックします。

打診音の変化

体位による打診音の変化を観察して、腹水の有無を確認します。

仰臥位と側臥位で、音の領域に変化があれば腹水の貯留が予測されます。

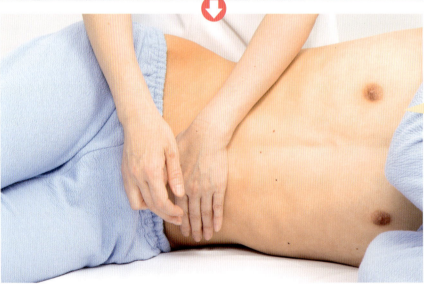

POINT
- 腹水貯留時は、体位を変えると腹水が腹腔内に流動するため、濁音と鼓音の境界が変わります。

腹水なし	● 体位による変化なし、濁音と鼓音の境界は一定
腹水あり	● 仰臥位 　◆ 腹水のない中央付近：鼓音 　◆ 腹水のある周辺部：濁音 ● 側臥位 　◆ 上側：鼓音 　◆ 下側：濁音

フィジカルアセスメントの実際

波動テスト

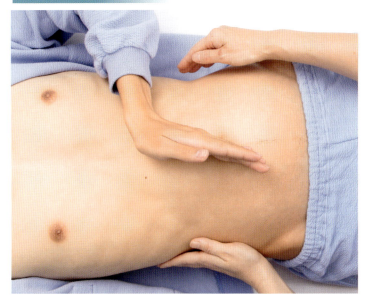

患者に腹部中央に手の側面を当て、皮膚を伝わる波動を遮断してもらいます。看護師は側腹部をトントン軽く叩き、同時に反対側の側腹部に手を当てておきます。
腹水があれば、腹水を伝わった波動が反対側の手で感じられます。ただし、腹水が多量に貯留していなければ、波動として感じられません。

| 波動あり | ● 腹水が多量に貯留 |
| 波動なし | ● 腹水なし、もしくは少量貯留 |

CHAPTER 2 排泄する

腹囲の測定

患者は仰臥位で膝を伸ばした体位とします。メジャーを腹部背面に回し、臍の位置で身体を軸に水平となるようにします。自然呼吸の位置（腹式呼吸の著しい場合は呼気と吸気の中間）で目盛りを読み取ります。

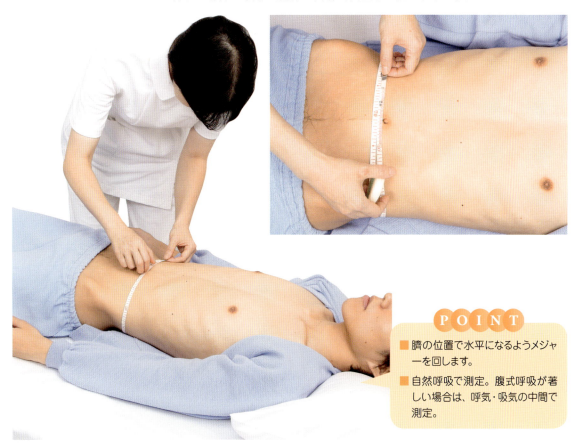

POINT
- 臍の位置で水平になるようメジャーを回します。
- 自然呼吸で測定。腹式呼吸が著しい場合は、呼気・吸気の中間で測定。

199

CHAPTER 2

直腸・肛門のフィジカルアセスメント

直腸・肛門部は、問診や視診で異常がみられた場合、多くは医師により内診や検査が実施されます。

直腸・肛門に関する問診

- 既往歴：ポリープ・腫瘍・痔疾患
- 排便に伴う症状：出血・疼痛・掻痒感・違和感
- 便通の頻度：下痢と便秘を繰り返す⇒直腸がん
- 便の性状：金釘状の便⇒直腸がん
- 分泌物：有無と性状

＊ 便秘で緩下剤や浣腸を繰り返す場合、痔疾患の可能性が考えられます。
＊ 直腸がんの進行により尿道が圧迫され、排尿障害を引き起こすことがあります。

STUDY 直腸・肛門の解剖

 直腸はS状結腸に続く部分から始まり、肛門へと続く管腔です。肛門は消化管の最後に位置する開口部で、肛門括約筋の収縮と弛緩によって排便をコントロールしています。

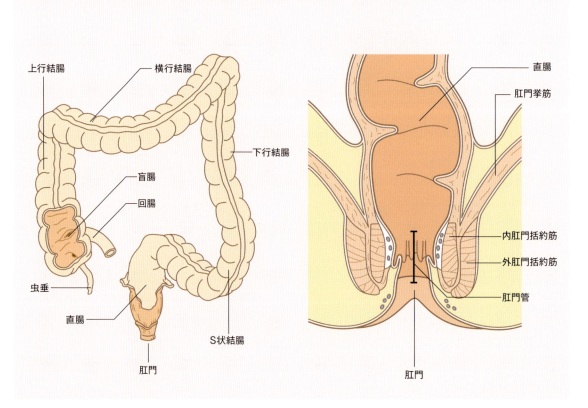

直腸・肛門部の視診

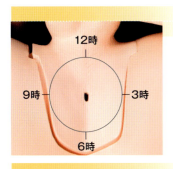

肛門輪と周囲を観察し、発赤・腫脹・出血・突出や裂肛の有無を確認します。病変が認められた場合は、恥骨側を12時、尾骨側を6時とした時計盤の表記で記録します。

観察項目
- 肛門輪と周囲：発赤・腫脹・出血・突出・裂肛

直腸・肛門部の触診

浣腸や摘便を実施する前に、直腸の走行や粘膜の状態を知るために触診を行い、安全に実施できるかどうかを確認することがあります。

❶ 患者に目的や方法を説明して承諾を得ます。カーテンやバスタオルを使用し、露出を最小限にするなどプライバシーに配慮します。
下着をとり、左側臥位（両膝を曲げ安定した体位）をとります。

実際には肛門部を露出し、バスタオルで覆います

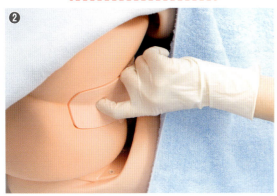

❷ 看護師は手袋を装着し、示指に十分量のワセリンをつけます。肛門部を視診し、患者に口呼吸を促して示指を肛門から臍の方向にゆっくりと挿入します。

❸ 示指を挿入したらゆっくりと回転させ、肛門括約筋の緊張、直腸の硬さ、不整や結節の有無などを触診します。

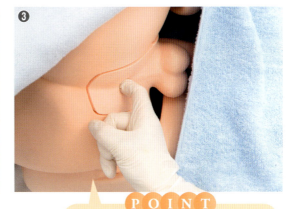

POINT
示指挿入時の留意点
- 患者に口呼吸を促します。
- 直腸走行に沿い、肛門から臍の方向にゆっくりと挿入します。
- 示指をゆっくりと回転させて触診します。

観察項目
- 肛門括約筋：通常は、指の周りでぴったり閉じている。不安・炎症・瘢痕があると緊張し、神経疾患で弛緩する
- 圧痛：腹膜炎
- 硬さ：炎症・瘢痕・悪性疾患により硬結が生じる
- 表面：不整や結節

泌尿器のフィジカルアセスメント

泌尿器は、問診により異常がみられた場合、医師によって内診や検査が実施されます。

泌尿器に関する問診

- **既往歴**：前立腺肥大・膀胱炎・尿路結石・腎炎・腫瘍
- **尿の性状**：血尿（腎臓や膀胱の外傷・結石・膀胱炎・腎盂腎炎、腎や膀胱の腫瘍、ネフローゼ症候群・腎炎）・膿尿（腎盂腎炎）・におい・混濁
- **排尿に伴う症状**：排尿時痛（膀胱炎）・尿意頻数（膀胱炎）・掻痒感・違和感・排尿困難（前立腺肥大症）・残尿感（膀胱炎）・灼熱感・腰背部痛・失禁・浮腫・尿量・排尿の頻度・パターン、排尿にかかる時間（時間がかかる⇒前立腺肥大症）
- **尿閉**：脳血管障害・糖尿病・下腹部の手術による神経因性膀胱、喘息薬・降圧薬の副作用、子宮がん・卵巣がん・直腸がん・前立腺がんによる尿道圧迫
- **乏尿**：尿管・尿道の腫瘍・結石、腎不全・脱水・ショック・心不全
- **分泌物**

泌尿器の打診

- **腎臓の叩打痛**：片方の手掌を肋骨脊柱角に当て、その上から反対側の拳の尺側面で軽くたたく
  正常：痛みなし
  異常：痛みを伴う（腎臓の炎症や腫大）

泌尿器の触診

- 膀胱が充満している場合、恥骨結合部上方に緊満した平滑で円形のドームを触れる（膀胱感染症の場合に圧痛がある）

フィジカルアセスメントの実際

STUDY　泌尿器の解剖

腎臓は腹膜の背側にある後腹膜器官であり、左腎は第11・12肋骨のあたり、右腎は左腎よりやや下方に位置しています。
前面から腎臓をみると肝臓の下方に位置し、左右の腎動静脈により大動脈・大静脈につながっています。

CHAPTER 2 排泄する

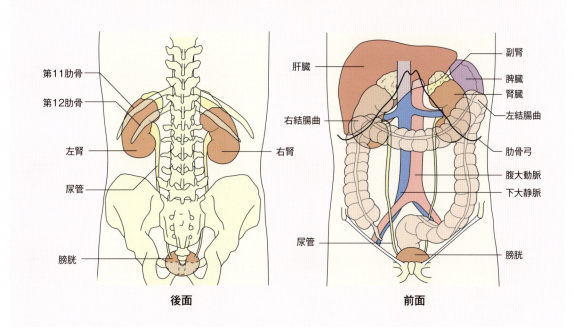

乏尿・血尿・尿閉から想定される泌尿器疾患

乏尿		血尿			尿閉		
随伴症状	疾患	疼痛	随伴症状	疾患	性別	既往・その他	疾患
疼痛 放散痛 尿閉 血尿	尿管 尿道の結石 腫瘍	下腹部痛	外傷の病歴	腎臓外傷 膀胱外傷	男女	脳血管障害 下腹部の手術 糖尿病	神経因性膀胱
			仙痛発作 血尿 尿閉	腎結石 尿管結石 膀胱結石		喘息薬 降圧薬の内服	薬剤の副作用
浮腫 高血圧 発熱	急性糸球体 腎炎 腎不全	排尿痛	頻尿 尿混濁	膀胱炎		尿管結石	尿道異物
		腰背部痛	発熱・膿尿	腎盂腎炎	女性	下腹部手術の既往	子宮筋腫・子宮がん 卵巣がん
		側腹部痛	血尿・発熱 腫瘤触知	腎腫瘍		長期留置 カテーテル	炎症性尿道狭窄
血圧下降 頻脈 顔面蒼白	ショック 脱水 広範囲熱傷 心不全	疼痛なし	浮腫 高血圧	ネフローゼ 症候群 腎炎	男性	高齢 排尿困難 排尿痛	前立腺肥大症 前立腺がん
			排尿困難 頻尿	前立腺がん		血便 排便障害	直腸がん
			難治性の 膀胱炎	膀胱がん		骨盤骨折	外傷性尿道狭窄

CHAPTER 2

STUDY 便・尿の観察

ブリストル便形状スケール

タイプ		形状
1	コロコロ便	硬くコロコロの兎分状の便
2	硬い便	ソーセージ状だが、硬い便
3	やや硬い便	表面にひび割れのある、ソーセージ状の便
4	普通便	表面が滑らかで軟らかいソーセージ状、あるいは蛇のようなとぐろを巻く便
5	やや軟らかい便	はっきりとしたしわのある、軟らかい半固形の便
6	泥状便	境界がほぐれ、ふにゃふにゃとした、不定形の小片便 泥状の便
7	水様便	水様で、固形物を含まない液体状の便

Longstreth GF, Thompson WG, Chey WD, Houghton LA, Mearin F, Spiller RC. Functional bowel disorders. Gastroenterology 2006;130 (5):1480-91をもとに作成

尿の性状

正常な尿　濃縮尿（正常）　血尿（異常）　混濁尿（異常）
希釈尿（正常）　　　　　蛋白尿（異常）　ビリルビン尿（異常）

排泄する：フィジカルアセスメントの内容と進め方1

問診

＊年齢・性別・腹部既往歴を念頭において腹部症状を聴く

- 腹部症状
  - 腹痛の有無・部位、痛みの性状、持続的か・間欠的か
  - 下痢・悪心・嘔気・嘔吐・腹満感・便秘
  - 排ガス、腫瘤、排便時の肛門痛、下血
  - 腹部手術の既往
  - 膵炎・消化性潰瘍・腹膜炎などの既往
  - 内服中の薬剤：排卵誘発薬・ステロイド薬・抗生薬・消炎鎮痛薬・下剤など
  - 食事摂取：内容・量など
  - 食欲
  - 身長・体重（増加・減少）

視診

- 顔色・表情・姿勢
- 腹部の皮膚
  - 正常：なめらかで肌色
  - 異常：色素沈着・線条・瘢痕、腹壁静脈の怒張
- 臍の位置・色
- 輪郭：左右対称性、くぼみ、膨らみ

聴診

- 腸蠕動音
  - 正常：5～15秒ごとに不規則な音
  - 異常：腸蠕動音の減少・消失、金属音⇒イレウス

打診

- 4領域の打診：通常、胃腸はガスの貯留によって鼓音である。濁音の場合は便の貯留や腹水、腫瘍などが考えられる

触診

- 下腹部の浅い触診
  - 正常：腹壁がソフトで緊張がない。腫瘤は触れない。痛みなし
  - 異常：腹壁の緊張、筋性防御。大きな腫瘤や表在性腫瘤が触れる
- 下腹部の深い触診
  - 正常：痛みなし、腫瘤なし。便秘の場合には便が触れる
  - 異常：圧痛がある、腫瘤が触れる。腫瘤の大きさ、位置、硬さ、圧痛の有無、可動性を確認する
  - 限局性の圧痛：マックバーニー点に圧痛あり⇒急性虫垂炎
  - 反動痛：腹膜炎
- 腹水の有無：肝硬変・肝臓がん・腹膜播種転移などの場合に、腹水の有無を確認する

CHAPTER 2　排泄する

CHAPTER 2

CASE 排泄する:事例1

78歳・男性／3日前から腹満と共に、持続して腹部全体に痛みがあり、受診

問診

78歳・男性
5年前に大腸がんのため
上行結腸切除
「お腹が張って痛い」と受診

VS
- BT=36.5℃
- P=100回/分
- R=20回/分
- BP=150/90 mmHg

- 悪心はあるが嘔気・嘔吐なし
- 腹部膨満感
- 腹部全体の疼痛
- 3日前から徐々に持続して痛む

排泄に関する情報
- 5日前から排便、排ガスなし
- 腹部膨満感と腹痛のため、3日前より食事はおかゆを数口摂取のみ
- 水分は湯のみで1日3杯程度のお茶を飲んでいる

通常の排泄状況
- 普通便1回/日
- マグラックス® 3錠/日内服

既往歴
- 5年前に大腸がんのため上行結腸切除

視診・聴診

- 表面：全体的に膨らんでいる
- 色：正常、下腹部に10cmの手術瘢痕、静脈怒張なし
- 表面の動き：呼吸に伴う動きあり、腸蠕動の過剰な動きなし

- 腸蠕動音：5秒以内に不規則な音、やや亢進ぎみ、やや高い金属音

打診・触診

- 4領域全体で鼓音

- 下腹部の緊張が強い
- 横行結腸・下行結腸部分が硬い
- 顔をしかめる
- 限局性の圧痛なし
- 反動痛なし

フィジカルアセスメントの思考過程

- 高齢のため、消化管の働きが低下している可能性がある
- 大腸がんの手術既往から、がんの再発や腸癒着の可能性がある
- 血圧・脈拍・呼吸は痛みのために亢進している
- 発熱はない

- 腸蠕動の亢進あり
- イレウスの可能性あり

- 腸管内にガスが貯留

結論
がんの再発や癒着によるイレウスの可能性がある。腹膜炎の併発はない。医師と相談の結果、イレウス症状に注意して観察を続けることとなった。

排泄する：フィジカルアセスメントの内容と進め方2

問診		
	基礎情報	年齢・性別
	既往歴	前立腺肥大・膀胱炎・尿路結石・腎炎・腫瘍・脳出血・脳梗塞・慢性硬膜下血腫・糖尿病・脊髄疾患など
	尿の性状	血尿・膿尿・におい・混濁
	排尿に伴う症状	排尿時痛・尿意頻数・掻痒感・違和感・灼熱感・排尿困難・残尿感・腰背部痛・失禁・尿漏れ・浮腫
	尿量・排尿回数	排尿の回数・量・パターン
	排尿に要する時間	排尿したくても尿が出ない 排尿の時間が長くなった（通常は15〜30秒）

視診		
	顔色・表情・姿勢	苦痛様な表情、排尿時の様子
	尿	尿の性状・色調・量

打診		
	腎臓	腎臓の叩打痛の有無（肋骨脊柱角を打診） 正常：痛みなし 異常：痛みあり⇒腎臓の炎症・腫大

触診		
	下腹部の触診	正常：腹壁がソフトで緊張がない 異常：恥骨結合部上方に平滑で円形のドームを触れる（膀胱部の充満）、膀胱部の圧痛（膀胱感染症）

CHAPTER 2

CASE 排泄する：事例2

65歳・男性／左足趾（第5趾）壊死のため、治療目的で入院中

問診

65歳・男性
10年前より糖尿病のため
インスリンの自己注射を
行っている

VS
- BT=37.0℃
- P=90回/分
- R=20回/分
- BP=140/90 mmHg

- 血糖＝150mg/dL
- 血液尿素窒素（BUN）＝20mg/dL

- 足趾壊死の治療目的で入院中
- 尿の出が悪いようだ
- 排尿回数6回/日
- 尿の色は黄色、少し濁っている
- 尿意を感じて排尿しても、量が少なく感じる
- 排尿に要する時間はいつもと変わらない

◆下肢・顔面の浮腫なし
◆熱感なし、風邪症状なし
◆水分摂取量800mL/日

視診

- 皮膚：乾燥なし
- 下腹部：膨らんでいる
- 色：普通
- 表面の動き：呼吸に伴う動きあり

触診

- 膀胱部の膨満著明
- 膀胱部の圧痛あり

- 導尿を実施：尿量600mL、尿混濁著明

フィジカルアセスメントの思考過程

- 水分摂取量は普通であり、皮膚の乾燥もなく脱水ではない
- 排尿回数は正常範囲、尿意を感じて排尿している
- 尿量が少ないとの訴えがあるため、尿量を確認する必要がある
- 体温37.0℃と微熱があるが、感冒症状はない
- 尿混濁の訴えから、尿路感染症の可能性あり
- 高齢の男性であるため、前立腺肥大症の可能性もあり
- BUNは正常範囲で浮腫もなく、腎機能の低下はない

- 膀胱に尿が貯留し、膨満していると推測される

結論
糖尿病の神経障害による尿閉、前立腺肥大症による尿閉が考えられる。
糖尿病で免疫機能の低下があり、尿混濁から尿路感染症の可能性がある。
医師と相談の結果、血液検査、尿細菌検査の指示が出され、尿量・膀胱部の観察を続けることとなった。

CHAPTER 2 フィジカルアセスメントの実際

セクシャリティ

セクシャリティは性的存在としての自己や、生殖との関連から、個人の健康と生活に深くかかわります。

フィジカルアセスメントの実施にあたっては、プライバシーの保護ができる環境を整えます。デリケートな問題に触れる可能性があるので、相手に不快な思いをさせないように配慮することが大切です。

観察項目

女性乳房

1 問診
- 乳房・乳頭の状態、しこり、疼痛、月経周期としこりの関連、乳房自己検診の有無、乳頭分泌物の有無と性状、乳腺疾患の既往、家族（母・姉妹）の乳がん既往

2 視診
- 乳房・乳頭の状態、左右差

3 触診
- 平手法・指腹法（座位・仰臥位）、リンパ節（鎖骨上下、腋窩）、乳頭からの分泌物

男性性器

1 問診
- 陰茎からの分泌物、びらん、しこり、皮疹、陰嚢の痛み・腫脹、発熱、排尿時痛、既往歴（男性性器に関する疾患、性感染症）

2 視診 触診
- 陰茎・亀頭・陰嚢

女性性器

1 問診
- 月経・外陰部関連症状（腟分泌物の量・色・粘度・におい、痛み、排尿時痛、掻痒感、潰瘍、出血）・妊娠/分娩・既往歴

2 視診 触診
- 大陰唇・外尿道口・腟口

女性乳房のフィジカルアセスメント

乳房の状態は月経周期の中で変化します。特に、月経前はエストロゲンの分泌によって結節状の変化を生じやすいため、診察は月経開始後5〜7日の期間に行います。月経前に結節を認める場合、月経開始後に改めて評価することが必要です。

乳房に伴う問診

- 乳房や乳頭の状態
- しこり・疼痛の有無
- 乳頭分泌物の有無と性状
- 月経周期としこりの関連
- 乳房自己検診をしているか
- 乳腺疾患の既往、家族（母・姉妹）の乳がん既往

乳房に伴う視診

★ プライバシーを保護できる環境を整えます
★ 座位で両腕を下ろしてもらい、乳房と乳頭を観察します
★「腕を上げる」「両手を腰につける」「前かがみ」の姿勢をとってもらい、えくぼ形成や引きつれが生じるか視診します

- 乳房：
  - 大きさ、乳頭の位置の左右差
  - 皮膚の状態（発赤・潰瘍・えくぼ症状・陥凹・隆起・平坦化・浮腫・橙皮様変化など）
  - 瘢痕（手術、外傷）
- 乳頭・乳輪：
  亀裂・陥没・湿疹・びらん、乳頭分泌物の有無（血性・乳汁様・漿液性など）

正常

- 乳房はほぼ左右対称で、なめらか
- 乳房の皮膚は周囲の皮膚と同じ色調。乳輪と乳頭は茶褐色
- 乳頭が指す方向は対称で、亀裂やびらんがない。乳頭からの分泌物はない

異常

- **えくぼ症状**：乳がんの疑い
- **皮膚の陥没**：がん浸潤が周囲の皮下組織に及んでいる可能性
- **潰瘍**：がんが皮膚に浸潤している可能性
- **乳頭・乳輪に皮疹やびらん**：ページェット病や乳がんの可能性
- **血性の乳頭分泌物**：乳がんの可能性

CHECK! 乳がんの好発部位

乳がんが発見される部位は、外側上部が最も多く、次いで内側上部である。

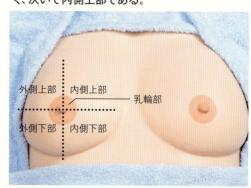

乳房の触診

乳房の触診は座位と仰臥位の両方で、腫瘤があるかどうかをていねいに診察します。座位で触れにくい乳房下半分が、仰臥位をとることにより触診しやすくなります。
触診をすると、えくぼのようなくぼみ（えくぼ症状）や引きつれ、乳頭からの分泌物が出現しやすくなるため、あわせて観察します。
乳房のがん性変化の可能性がある場合には、腋窩リンパ節と鎖骨上下リンパ節の触診も実施します。

平手法

❶ 患者に、座位で腕を上げた体位をとってもらいます。両手の手掌を広く使って（平手法）、一側の乳房全体を大まかに触診します。

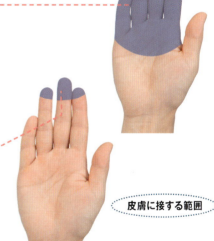

皮膚に接する範囲

指腹法

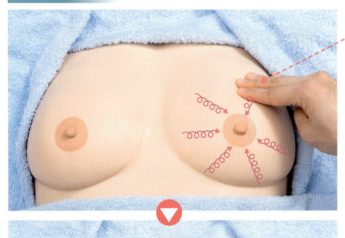

皮膚に接する範囲

❷ 片手の第2・3・4指の指腹を用い（指腹法）、乳頭に向かって小さな円を描くように、乳房を軽く圧迫しながら皮膚面を滑らせて触診します。

❸ 指腹法でらせん状、もしくは同心円状に進み、乳房全体をまんべんなく触診します。

❹ 硬結や腫瘤様のものを触知したら、大きさや性状を詳しく触診します。
一側の触診を終えたら、もう片方の乳房を同様に触診します。

CHAPTER 2

リンパ節触診

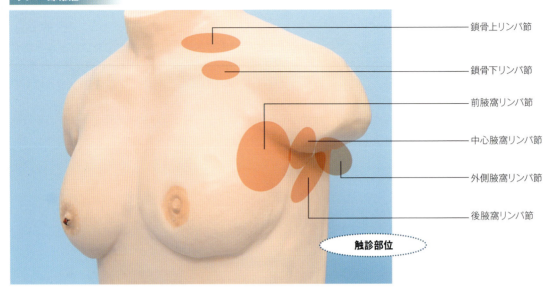

- 鎖骨上リンパ節
- 鎖骨下リンパ節
- 前腋窩リンパ節
- 中心腋窩リンパ節
- 外側腋窩リンパ節
- 後腋窩リンパ節

触診部位

❺ 鎖骨上リンパ節、鎖骨下リンパ節、腋窩リンパ節を触診します。

腋窩の触診では、患者の前腕を支え、肩の力を抜いてもらいます。第2・3・4指をそろえて腋窩の最深部まで進め、指先を軽く曲げて胸壁に密着させた状態で、下方へゆっくり下ろします。

▼

❻ 患者に仰臥位で上肢を頭部に挙上してもらい、乳房を触診します。乳房が大きい場合や下垂している場合は、小枕かバスタオルを肩の下に入れ、胸筋の上に乳房組織を平らに伸展させます。座位と同様に触診します。

▼

❼ 乳頭を軽くつまんで触診し、分泌物の有無を観察します。

＊ 男性の乳がんは乳がん全体の1％を占めます。女性化乳房は、甲状腺機能亢進症やクッシング症候群などの内分泌疾患や肝障害などによって生じます。診察は問診・視診・触診を女性と同様の方法で診察します。

観察項目
- 乳房：腫瘤部位・形状・境界・硬度・移動性・圧痛
- 腋窩・鎖骨上下のリンパ節：リンパ節腫大（大きさ・数・硬度・性状・癒着・圧痛）

正常
- 乳房：弾力性があり、陥没や引きつれがない
- 乳頭：柔らかく、授乳期以外に分泌物はみられない
- 鎖骨上下・腋窩リンパ節：触れない

異常
- 痛み：痛みの有無だけで良性・悪性を判断できない。
  月経前は、痛みを伴うことがある
- 乳房の腫瘤：乳腺炎・良性腫瘍・悪性腫瘍の可能性
- 可動性のない腫瘤：
  進行乳がんの可能性
- 鎖骨上下・腋窩リンパ節：
  触れる⇒炎症や乳がんの可能性

STUDY 乳房と周辺リンパ節の解剖

乳房内には、乳汁を分泌する乳腺細胞が多数あり、これが集まって腺房を形作ります。腺房が集まって腺小葉となり、ここから分泌された乳汁が乳管に集められ、乳管洞に蓄えられるしくみになっています。これらの組織は皮下脂肪に包まれています。

また、腋窩を走行する鎖骨下静脈、腋窩静脈の周囲には鎖骨上リンパ節、鎖骨下リンパ節、腋窩リンパ節があります。乳房にがん性変化の可能性がある場合は、これらのリンパ節を触診します。

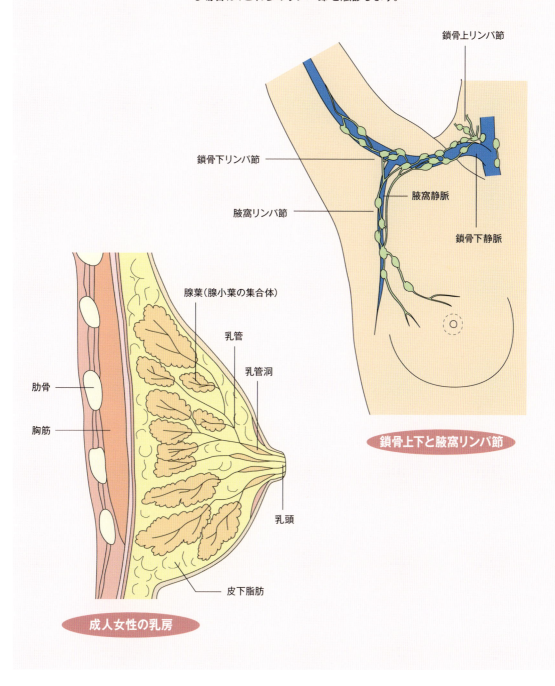

CHAPTER 2

CHECK! 乳がんの早期発見のために——乳房の自己検診

乳がんは早期に発見し、早期に受診することで十分に治癒できる病気です。
それには、乳房の自己検診を実行することが大切です。
実際、乳がんを早期に発見している人は、自分自身やパートナーによって、胸のしこりに気づいたことがきっかけとなっています。
自分自身でみて、触れる自己検診の方法を紹介します。

乳房の自己検診

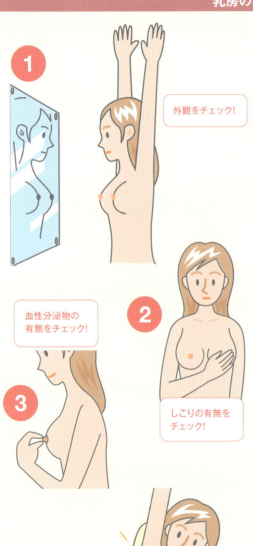

乳房が柔らかくなる月経開始から5～7日目に行います。閉経後は月に1度日を決めて行うとよいでしょう。

❶ 鏡に上半身を映します。両腕を下げた状態、上げた状態で乳房をよく観察します。
　⇒不自然なへこみや引きつれがないか?
　⇒乳首の亀裂や潰瘍、湿疹やただれがないか?

❷ 利き手の第2・3・4指をそろえ、指の腹で乳房にしこりがないか調べます。「縦横」あるいは「渦巻き状」に触れ、乳房の上外側・下外側・下内側・上内側をまんべんなく調べます。

❸ 左右の乳房を調べ、乳首を軽くつまんで、血性の分泌物が出るかどうかをみます。

❹ 仰臥位になり、もう1度乳房を調べます。肩の下に薄い枕や座布団を敷いて乳房を平らに広げると、調べやすくなります。調べるほうの腕を上げると、さらにしこりを発見しやすくなります。

＊ しこりが触れた時には腋窩も触れ、リンパ節が触れるかどうか調べます。

フィジカルアセスメントの実際

男性性器のフィジカルアセスメント

男性生殖器は内性器（精巣・精巣上体・精管・精囊・前立腺）と外性器（陰囊・陰茎）から構成されます。

看護師は、清潔・排泄の援助で外性器の観察を行っています。何らかの異常がみられる場合には、主治医に報告する必要があります。

男性性器に関しての問診

★ 感染徴候・性機能に関して情報を得ます。下記の内容に関して質問紙に答えてもらい、問診を進めるとよいでしょう
- 陰茎からの分泌物（ある場合は量・色・濃度）・びらん・しこり・皮疹、陰囊の痛みや腫脹
- 発熱、排尿時痛、既往歴（男性性器に関する疾患、性感染症）

男性性器の視診・触診

看護師は手袋を装着して陰茎と亀頭部を観察、さらに陰茎を持ち上げて陰茎後面と陰囊を観察します。

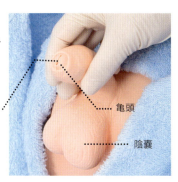

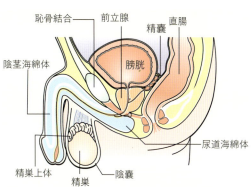

観察項目
- 亀頭部・外尿道口：包皮の状態、亀頭部の潰瘍・瘢痕・結節・炎症徴候、分泌物の有無・性状
- 陰茎基部：擦過傷・炎症・シラミ
- 陰囊：大きさ・左右対称性・形・浮腫・腫瘤・結節・腫脹・圧痛

正常
- 亀頭部：包皮から露出し、潰瘍や炎症症状がない
- 尿道口：分泌物なし

異常
- 包皮が翻転せず亀頭が露出しない
  ⇒包茎の疑い。無理に亀頭を露出せず、必要に応じて医師に相談。亀頭部を翻転させた場合は、包皮を元の位置に戻す
- 尿道口から大量の黄色分泌物
  ⇒淋病性尿道炎の疑い
- 尿道口から少量の白色あるいは無色の分泌物
  ⇒非淋病性尿道炎の疑い
- 陰茎基部周囲の擦過傷・掻痒感
  ⇒乾癬やケジラミの疑い

CHAPTER 2

女性性器のフィジカルアセスメント

女性生殖器は内性器（卵巣・卵管・子宮・膣）と外性器（大陰唇・小陰唇・膣前庭・陰核・膣口）から構成されます。

看護師は、清潔・排泄の援助で外性器の観察を行っています。何らかの異常がみられる場合には、主治医に報告する必要があります。

女性性器に関しての問診

★ 月経・妊娠・外陰膣症状、必要に応じて性生活、感染徴候に関する情報を得ます。下記の内容に関して質問紙に答えてもらい、問診を進めるとよいでしょう

- 月経：初経年齢・月経周期・最終月経・不正器出血
- 外陰部に関連した症状：膣分泌物の量・色・粘度・におい、痛み、排尿時痛、搔痒感、潰瘍、出血
- 妊娠・分娩：妊娠回数・出産回数・分娩形態など
- 既往歴：女性性器に関連する疾患、性感染症など

女性性器の視診・触診

患者の協力を得て両足を軽く開いてもらい、観察しやすい体位をとります。看護師は手袋を装着して行います。

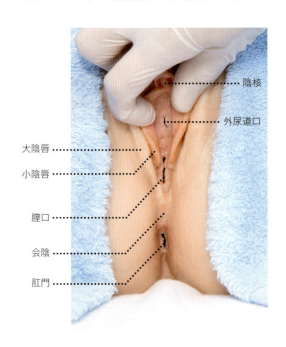

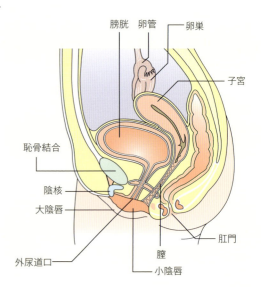

フィジカルアセスメントの実際

観察項目
- 大陰唇：発赤・腫脹・擦過傷・皮疹・浮腫・潰瘍
- 外尿道口・膣口：形・大きさ・色・皮膚病変・腫脹・結節、分泌物（帯下）の性状、出血

正常
- 外陰部：皮膚病変・腫瘤なし
- 膣粘膜：ピンク色
- 膣からの分泌物：澄んだ白色、悪臭なし

異常
- 陰部の潰瘍：ベーチェット病の可能性
- 膣分泌物の異常：膣炎やがんなどの可能性がある
- 閉経後の出血：子宮がんや子宮筋腫の可能性

CHECK！ 帯下の性状を観察

帯下の異常所見としては、粥状白色、黄色、赤色、褐色、漿液性、悪臭などがあげられます。
それぞれの所見に対して、考えられる疾患を表に示します。

帯下の異常所見

帯下の性状	考えられる疾患
粥状の白色帯下の増加	カンジダ膣炎
黄色帯下	トリコモナス膣炎・老人性膣炎・淋病・子宮内膜炎・膣内異物
赤色帯下・褐色帯下	子宮がん・子宮筋腫・子宮膣部びらん・老人性膣炎
漿液性帯下	子宮がん・老人性膣炎
悪臭を伴う帯下	膣炎

STUDY 副乳房・副乳頭

哺乳類は、ミルクラインといわれる線にそって対をなす複数の乳房を有しています。
ひとは1対の乳房と乳頭が発達していますが、よく観察すると左右対称に対となったほくろ状の副乳頭がみられることがあります。

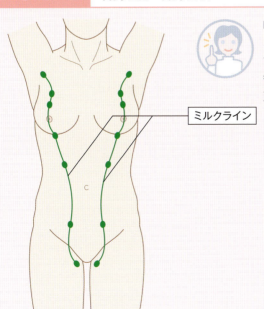

ミルクライン

CHAPTER 2 セクシャリティ

CHAPTER 2

乳房：フィジカルアセスメントの内容と進め方

問診	既往歴	乳腺疾患
	家族歴	家族（母・姉妹）に乳がんの既往
	乳房に関する情報	しこり・疼痛・月経状態、月経周期としこりの関係、乳房自己検診をしているか、乳頭分泌物（ある場合は性状）

視診	* 観察は座位・仰臥位の両方で行う	
	乳房	左右の大きさ
	乳頭・乳輪	左右の乳頭の位置、乳輪の状態 乳頭：亀裂・陥没・湿疹・びらん・分泌物（血性・乳汁様・漿液性など）
	副乳房・副乳頭	有無
	乳房皮膚	発赤・潰瘍・えくぼ症状・陥凹・隆起・平坦化・浮腫・橙皮様変化・瘢痕（手術・外傷）など

触診	乳房	腫瘤（部位・形状・境界・硬度・移動性・圧痛）
	皮膚	引きつれ・えくぼ
	乳頭・乳輪	分泌物（血性・乳汁様・漿液性など）・引きつれ
	腋窩	前腋窩リンパ節・中心腋窩リンパ節・後腋窩リンパ節・外側腋窩リンパ節の腫大（大きさ・数・硬度・性状・癒着・圧痛）
	鎖骨上下	鎖骨上リンパ節・鎖骨下リンパ節の腫大 （大きさ・数・硬度・性状・癒着・圧痛）

フィジカルアセスメントの実際

CASE 乳房：事例

32歳・女性／左胸にしこりを感じた2か月後、夫の強い勧めで受診

問診

32歳・女性 左胸にしこりで受診

自覚症状
2か月ほど前、お風呂で体を洗っている時、左胸にうずらの卵大の硬いしこりがあるのに気づいた。痛みはない。
様子をみていたが、夫の強い勧めで受診

フィジカルアセスメントの思考過程

基本情報
- 身長155cm、体重50kg（現在）
- 食事は不規則で2回/日、好き嫌いはない
- タバコは吸わず、飲酒は付き合い程度
- 夫と2人暮らしであり、妊娠・出産歴なし
- 職業はピアノ教師

VS
- BT=37.2℃
- P=80回/分
- R=20回/分
- BP=120/60mmHg

- 月経と関連のない腫瘤が存在しており、良性・悪性のいずれかの可能性がある
- 母親に乳がんの既往があり、乳がんのリスクは高い

通常の月経状態
- 月経は不定期、乳房自己検診はしていない

既往歴
- 乳腺症の既往あり

家族歴
- 15年前、母親が乳がんで乳房切除術を受けている

視診
- 乳房は左右ほぼ対称
- 左右の乳頭は同じ高さ
- 左乳頭は陥没、乳頭分泌物なし
- 乳房皮膚に発赤・潰瘍なし
- 左乳房上外側四半部1時方向にえくぼ症状あり

- 左乳頭の陥没、乳房の上外側1時方向のえくぼ症状は進行した乳がんの可能性が高い

触診
- 左乳房に3×3cm大の硬い腫瘤が1つある。可動性で圧痛なし
- 触診時、乳頭から血性の分泌物が少量あり
- 中心腋窩リンパ節の部位で、2cm大の硬いリンパ節が1つ触れる。圧痛なし

- 乳房の上外側に、硬く可動性があり、圧痛のない腫瘤があり、乳がんの可能性が高い
- 左乳頭から血性の分泌物があり、進行した乳がんの可能性がある

結論
左乳房に乳がんの可能性が高いと考えられる。速やかに専門医の診察と検査を受けることが望ましい。

CHAPTER 2 フィジカルアセスメントの実際

加齢による変化

高齢者には、加齢に伴う自然な変化として、生理的変化や心理的変化、社会的変化がみられます。変化は非常に個別的で、それまでの人生に大きく左右されます。

また、高齢者は一般に症状の自覚が曖昧で、症状を加齢によるものと思い込んでいたり、症状を明確に伝えることができないことがあります。

高齢者のフィジカルアセスメントを行うにあたっては、何が起きているのかを把握するとともに、その状況が高齢者の生活にどのような影響を与えるのかという視点を持つことが大切です。

フィジカルアセスメントの留意点

高齢者との面接
- 環境を整え、1回の面接時間は15分程度に
- 医療用語・略語・カタカナ言葉を控える
- 人生経験、これまでの病気の経過を尊重
- 認知機能に注意
- 加齢に伴う全身症状の変化、内服薬などの管理状況を把握する

加齢に伴う全身状態の変化
- バイタルサイン
- 視覚・聴覚・味覚・深部痛覚
- 筋骨格
- 咀嚼・嚥下
- 消化・吸収
- 排泄
- 精神活動

排泄の変化
- 尿失禁・頻尿

精神活動の変化
- 認知症・せん妄

生活行動の機能評価
- 障害老人の日常生活自立度(寝たきり度)判定基準
- 日常生活動作(ADL)・手段的日常生活動作(IADL)

高齢者の面接

高齢者に面接を行う際には、身体的・精神的特徴をふまえた配慮が必要です。環境・面接時間、話し方、人生経験、認知機能などに留意して面接を行います。

面接は、明るく静かな環境で 15分程度を目安に

- 高齢者の多くには、視力や聴力の低下が認められるため、面接の際は、明るく騒音の少ない環境を整えます。また、聴覚は高音領域から障害されることが多いため、大声で話すより低音でゆっくり話すことを心がけます。
- 疲労に配慮してゆったりと座れる椅子を用意したり、横になって話せるようベッドサイドで話を聴くなど、状況に合わせて行うことが必要です。
- 高齢者は質問を理解したり、答えるために時間を要する場合があります。1回の面接時間は15分程度を目安に、長時間にならないよう心がけます。数回に分けて話を聴くほうが、疲労も少なく効率的です。

医療用語や略語、カタカナ言葉の使用は控えて

- 高齢者は、理解できない言葉や状況があっても指摘せず、うなずいてしまったり、本当の気持ちを説明するのが面倒になってしまうことがあります。
- 答えが曖昧な場合には、一つひとつ確認していくことが大切です。
- 会話にあたっては、医療用語や略語、カタカナ言葉の使用は避け、わかりやすい質問や説明を行うよう心がけます。

その方が歩んできた長い人生、病気の経過を尊重して

- 高齢者は、それまでの人生での経験や病歴から、複雑に絡み合った様々な事情を抱えている場合があります。また、経過を話す時に、質問の意図から離れていってしまうことも少なくありません。
- 意図的に話の軌道を修正することも必要ですが、これまでの人生で経験した辛さや喜びを尊重し、共感する姿勢が大切です。思い出を共有することで、患者の価値観への理解を深め、患者を支援するうえでの助けになります。
- 病歴のみを簡潔に聴こうとするのではなく、一人ひとりの人生経験を大切にしながら、話を聴いていく姿勢を心がけましょう。

CHAPTER 2

認知機能低下に注意し、情報の信頼性をアセスメント

- 高齢者は、慣れない環境で話をすることで混乱したり、認知機能が低下していたり、また、認知症と混同されがちなうつ状態である場合があります。混乱や認知症、うつ状態などの徴候に注意し、面接から得た情報の信頼性についてアセスメントします。
- 家族など身近な人から話を聴き、高齢者からの情報の信頼性をアセスメントし、同時に不足している情報を補うことも必要です。
  ただし、本人の話を聴かず、周辺からの情報だけで判断することは控えましょう。

面接内容について

♥ 高齢者の健康状態のとらえ方

- 同程度の機能低下をきたしても、重大に感じる高齢者もいれば、年相応と適応する高齢者もいて、個人差が大きい

- 高齢者は、症状が典型的でないことがある
  ⇒感染症に罹患しても、発熱がみられない
  ⇒心筋梗塞でも胸痛ではなく、息切れ、急な錯乱状態などの症状がみられる

- 高齢者は、複数の慢性疾患を抱え、病態や症状が複雑である場合がある
  ⇒関節痛により動けなくなったと訴えても、実際は心不全の悪化による呼吸機能の低下が原因ということがある
  ⇒本人の訴えとともに表情や身体状況の観察、全身状態をアセスメントすることが大切

服薬状況について

♥ 服薬状況の確認

- 高齢者は、複数の慢性疾患を抱え、多種類の薬剤を服用していることも多い

- 服用中の薬剤だけでなく服薬状況、市販薬の使用の有無、薬剤管理の仕方など、詳細に確認することが必要

- 服用する薬剤が多く、自身で服用を調整したり、使用期限が過ぎてしまうなど、管理ができにくい場合がある

- 自己判断で量を増やしたり、中止にしたりすることにより副作用が増強したり、薬効が低下する危険性がある

- 代謝機能の低下により、望ましくない薬剤の影響を受けやすい

加齢に伴う全身状態の変化

人は加齢と共にバイタルサイン、見る・聴くなどの感覚、皮膚や免疫、身体を動かす能力、食べて栄養をとりこむ力、精神活動などに変化を生じます。加齢に伴う変化を理解して、アセスメントを行う必要があります。

バイタルサイン

- **体温**：代謝の低下により低体温になりやすい。体温調節の変化により感染症を発症しても、成人と比べ体温上昇を認めにくい
- **脈**：動脈硬化・不整脈が起こりやすい
- **呼吸**：肺は器質的に変化し、咳反射も弱くなる。呼吸の深さと換気量が減少し、解剖学的死腔が増大することで肺活量が減少する
- **血圧**：動脈硬化により収縮期高血圧が起こりやすい。起立性低血圧も生じやすく、心肺の予備能力が低下している

見る・聴く・嗅ぐ・味わう・触れる

- **視覚**：水晶体に混濁が生じて白内障になり、視力が徐々に低下。ものを見るために、明るい環境が必要になる。水晶体はしだいに弾性を失い、近くのものに焦点を合わせにくくなる（老眼）。
水晶体の肥厚によって虹彩が前方に押し出され、狭隅角緑内障になりやすくなる
- **聴覚**：徐々に聴力が低下。聴力低下は高音域から徐々に中音域、低音域に広がる。高音が聴き取りにくくなると話し言葉の単語を聴き分けにくくなり、雑音の多い環境ではさらに難しくなる
- **嗅覚**：加齢により嗅覚の閾値が著しく上昇。
女性よりも男性に、非喫煙者よりも喫煙者でより顕著であることが明らかになっている。
嗅覚障害があると、煙、ガス、腐った食品の匂いを感知できなくなったり、料理の匂いがわからなくなり食欲低下につながったりする
- **味覚**：個人差が大きい。高齢者の味覚障害の原因の多くは薬剤性であり、栄養状態との関連で亜鉛欠乏性によるものがある
- **深部痛覚・温度覚**：反応が低下し、反応に要する時間が延長する

身体を守る	● **皮膚**：真皮が薄くなり、皮膚全体の弾性も低下。皮膚の水分量が低下し、乾燥しやすくなる。汗腺の数の減少と機能低下で、熱射病を起こしやすくなる ● **免疫機能**：胸腺が加齢に伴い萎縮するため、T細胞の生成が減少して免疫機能が低下する ● **全身組織**：損傷の修復に時間がかかる
身体を動かす	● **筋骨格**：筋細胞と弾性組織の数が減少し、筋力が低下。骨芽細胞の産生と機能低下により、骨量が減少し、骨粗鬆症になりやすい（女性ではエストロゲン依存性の骨－無機質代謝系があるため、閉経後に急激な骨粗鬆症が起こりやすい）。関節軟骨の弾性が失われ、骨と関節に変形が生じると変形性関節症になる
食べる・栄養をとりこむ	● **咀嚼・嚥下**：歯が擦り減り、本数が少なくなって義歯の利用が増える。嚥下機能が低下する ● **消化・吸収**：唾液の分泌が減少。胃液の分泌量が減少し、胃内消化時間が延長する
排泄する	● **排尿**：膀胱容量低下、膀胱の筋緊張低下が生じる。男性では、前立腺肥大により排尿の障害が生じやすい。失禁や夜間頻尿も起こりやすい ● **排便**：消化・吸収に要する時間が延長。消化管内での水分吸収が促進され、水分量の少ない硬い便となり、活動量も減少することで便秘傾向になる。食事摂取量の減少も便秘傾向の要因となる
精神活動について	● **記憶**：脳容積が縮小し、皮質脳細胞が減少。高齢者の短期記憶は加齢の影響は小さく、作業記憶は低下し、意味記憶は加齢の影響は認められないが、エピソード記憶は低下する（太田・多鹿, 2008, p.274-275）。情報を整理し処理する時間が延長する ● **病的な状態**：認知症、せん妄、抑うつが起こりやすい

排泄の変化：尿失禁・頻尿

高齢者に起こりやすい排泄の変化に、尿失禁と頻尿があります。これらの特徴を理解してアセスメントし、ケアにつなげていく必要があります。

尿失禁

身体的要因
- 神経因性膀胱、骨盤底筋群の弛緩による膀胱下垂、下部尿路閉塞
- 日常生活動作の低下による排尿動作の障害

精神的要因
- 認知障害・コミュニケーション障害による判断・意思伝達の困難

観察内容
- 排尿：尿意（尿意の表現、サイン）・排尿間隔・尿量、排尿の自制、自発的排尿、失禁のきっかけ、失禁場所、失禁後の気づき方
- 排尿動作：トイレまでの移動、下着の着脱、便器に座る/立ち上がる、排尿の後始末、ベッド上で便器・尿器を当てる

頻尿

頻尿の定義
- 排尿回数が1日8～9回以上＝頻尿
- 就寝後の排尿が2～3回以上＝夜間頻尿

頻尿の原因
- 膀胱の萎縮により生じる
- 脳脊髄疾患により下位排尿中枢の抑制がきかず、膀胱の異常収縮が生じる
- 末梢神経障害や慢性的な尿路閉塞によって膀胱容量が増加、かつ十分に収縮できずに生じる
- 疾患や治療に伴って尿量自体が増加する
- 不安や緊張などにより心因性に生じる

観察内容
- 尿回数・尿量・腹部膨満・全身状態

CHAPTER 2

精神活動の変化：認知症・せん妄

高齢者に起こりやすい精神活動の変化に、認知症とせん妄があります。各々の症状・病態を理解し、両者を鑑別すると共に、適切にアセスメントすることが必要です。

認知症

認知症とは、「脳血管疾患、アルツハイマー病その他の要因に基づく脳の器質的な変化により、日常生活に支障が生じる程度にまで記憶機能及びその他の認知機能が低下した状態」（介護保険法、平成九年法律第百二十三号、平成二十年改正）と定義されています。

認知症は病気であり、加齢によるもの忘れとは異なることに留意します。脳血管性障害によるもの（多発梗塞性認知症など）、何らかの原因で神経細胞が損なわれているもの（アルツハイマー型認知症・レビー小体型認知症など）、二次的に生じるもの（慢性硬膜下血腫・脳腫瘍などの頭蓋内病変、肝不全や電解質異常などの代謝異常・内分泌異常、うつ病などの精神科疾患）に分類されます。

認知症の症状は、「中核症状」と「周辺症状」の二重構造になっています。
中核症状は、認知症の根幹症状で、記憶障害、見当識障害、判断力の低下、失語、失行、失認という、認知機能の障害による症状です。
周辺症状は、認知症に伴う行動・心理症状で、認知症の人なら誰にでも現れるとは限らない症状です。具体的には、抑うつ、幻覚、妄想、興奮、徘徊、睡眠障害、暴力行為、性格の変化などがあげられます。

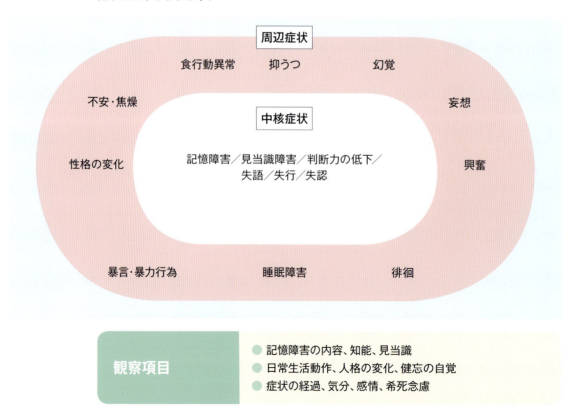

観察項目
- 記憶障害の内容、知能、見当識
- 日常生活動作、人格の変化、健忘の自覚
- 症状の経過、気分、感情、希死念慮

加齢によるもの忘れと認知症によるもの忘れの違い

	加齢によるもの忘れ	認知症によるもの忘れ
共通事項	置き忘れ、失名詞、ど忘れ、繰り返し	
記憶障害の内容	想起、重要でない事柄、部分的	記銘、保持、想起すべて、全体の忘却
知能	正常	低下
見当識	よい	障害
日常生活	正常	障害
人格	正常	低下
自覚	する	しない
経過	非進行性	進行性
性状	加齢	病気

得居みのり：認知症の病態・治療と看護. p19（中島紀恵子ほか編著：認知症高齢者の看護. 医歯薬出版, 2007）

せん妄

せん妄は意識障害の一種で、軽い意識混濁を背景にして、幻覚、妄想や不穏、興奮などの多彩な精神症状が比較的急激に出現し、症状が変動しやすい特徴があります。夜間に不眠や焦燥性興奮が増悪してせん妄が生じ、昼間はほとんど正常化する場合は、夜間せん妄と呼ばれます。

せん妄の前駆症状として、落ち着きのなさ、不安、睡眠障害が認められることがあります。高齢者のせん妄は、疾患や環境変化、薬物によって生じると考えられています。

観察項目
- 意識混濁
- 幻覚・妄想・不穏・興奮などの症状発現と経過
- 不眠、夜間の症状増悪

高齢者のせん妄の原因

疾　患	原　因
中枢神経疾患	脳血管障害・慢性硬膜下血腫・髄膜炎・脳腫瘍など
代謝性疾患	脱水・電解質異常・低血糖・腎不全（腎毒症）・肝不全・甲状腺機能亢進症など
循環器疾患	うっ血性心不全・急性心筋梗塞・不整脈・ショック
呼吸器疾患	呼吸不全（低酸素血症、高炭酸ガス血症）
感染症	尿路・呼吸器
その他の疾患・全身状態	貧血・悪性腫瘍・感覚遮断（視覚・聴覚）・全身麻酔・外科手術・断眠・疼痛・尿閉・便秘
環境変化	転居・入院・入所・旅行に伴う精神的ストレス
薬物	抗コリン薬・抗不安薬・睡眠薬・抗うつ薬・抗痙攣薬・抗パーキンソン病薬・ジギタリス・利尿薬・H_2ブロッカー・テオフィリン・消炎鎮痛薬・抗ヒスタミン薬、市販の感冒薬、アルコール

CHAPTER 2

生活行動の機能評価

加齢に伴う変化や疾病により、身体的・精神的機能の障害が生じ、自立した生活が脅かされることが少なくありません。どの程度機能が障害され、その人の生活にどのような影響を与えているのかをアセスメントし、個々の生活にあった援助を計画・実施していくことが必要です。

機能状態を評価

機能状態を評価しアセスメントした結果は、ケアを実施するチームで共有し、病院内だけでなく、在宅の場でも、活用できるようにすることが大切です。
また、身体的・精神的機能は、加齢や疾患の状態だけでなく、環境の変化により大きく左右されるため、その都度、再評価することが必要です。

施設によっては決められた評価用紙を用いたり、身体的機能の日常生活動作（ADL・IADL）だけでなく、精神的・身体的・社会的・環境的な面を重視した高齢者総合機能評価（Comprehensive geriatric assessment: CGA）などを用いることもあります。
また、「認知症高齢者の日常生活自立度」や、「障害高齢者の日常生活自立度（寝たきり度）判定基準」を自立度のスクリーニングに用いる場合もあります。

認知症高齢者の日常生活自立度

ランク	判断基準	見られる症状・行動の例
I	何らかの認知症を有するが、日常生活は家庭内および社会的にほぼ自立している	
II	日常生活に支障を来すような症状・行動や意思疎通の困難さが多少見られても、誰かが注意していれば自立できる	
IIa	家庭外で上記IIの状態が見られる	●たびたび道に迷う、あるいは買物や事務、金銭管理などそれまでできたことにミスが目立つなど
IIb	家庭内でも上記IIの状態が見られる	●服薬管理ができない、電話の応対や訪問者の対応など一人で留守番ができないなど
III	日常生活に支障を来すような症状・行動や意思疎通の困難さが見られ、介護を必要とする	
IIIa	日中を中心として上記IIIの状態が見られる	●着替え、食事、排便、排尿が上手にできない、時間がかかる ●やたらに物を口に入れる、物を拾い集める、徘徊、失禁、大声・奇声をあげる、火の不始末、不潔行為、性的異常行為など
IIIb	夜間を中心として上記IIIの状態が見られる	●ランクIIIaに同じ
IV	日常生活に支障を来すような症状・行動や意思疎通の困難さが頻繁に見られ、常に介護を必要とする	●ランクIIIに同じ
M	著しい精神症状や周辺症状あるいは重篤な身体疾患が見られ、専門医療を必要とする	●せん妄、妄想、興奮、自傷・他害等の精神症状や精神症状に起因する問題行動が継続する状態など

平成18年4月3日　老発第0403003号　厚生省老人保健福祉局長通知　より

障害高齢者の日常生活自立度(寝たきり度)判定基準

自立評価	ランク		判定基準
生活自立	ランクJ		何らかの障害等を有するが、日常生活はほぼ自立しており独力で外出する ①交通機関等を利用して外出する ②隣近所へなら外出する
準寝たきり	ランクA		屋内での生活は概ね自立しているが、介助なしには外出しない ①介助により外出し、日中はほとんどベッドから離れて生活する ②外出の頻度が少なく、日中も寝たり起きたりの生活をしている
寝たきり	ランクB		屋内での生活は何らかの介助を要し、日中もベッド上での生活が主体であるが、座位を保つ ①車いすに移乗し、食事、排泄はベッドから離れて行う ②介助により車いすに移乗する
	ランクC		1日中ベッド上で過ごし、排泄、食事、着替えにおいて介助を要する ①自力で寝返りをうつ ②自力では寝返りもうたない

平成3年11月18日 老健第102-2号 厚生省大臣官房老人保健福祉部長通知より

CHECK! 日常生活動作——ADLとIADL

日常生活動作(Activities of Daily Living: ADL)とは、食事・移動・整容・トイレ動作・入浴・歩行・階段昇降・着替え・排泄など、基本的な身体活動のことです。
これらの動作がどの程度行えるかを知ることで、具体的な介助方法を考え実施する手がかりとなります。

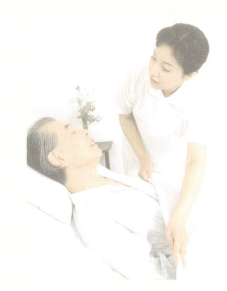

手段的日常生活動作(Instrumental activities of daily Living: IADL)とは、料理をつくる、掃除をする、洗濯をする、電話をかける、買い物をする、移動する、お金を管理するなど、地域で自立して生活していくために必要な生活動作のことです。
これらの自立の程度を知ることで、どのような援助があれば自立した生活を送ることができるのかを具体的に考え、実施する手がかりになります。

CHAPTER 2 生命の危機
フィジカルアセスメントの実際

患者の顔色が悪い、呼びかけても反応が鈍い、呼吸が乱れているなどいつもと患者の様子が違う場合、看護師は意識状態を確認し、バイタルサインを測定、全身状態を観察します。原因を追究すると共に、緊急度・重症度を迅速に判断しながら対応します。

本項では、意識障害を引き起こすショック、脳卒中、糖尿病性昏睡、肝性昏睡について解説します。

意識障害のフィジカルアセスメント

ショック
- 循環血液量減少性ショック
- 心原性ショック
- アナフィラキシーショック
- 敗血症性ショック（感染性ショック）
- 神経原性ショック

KEYWORD
前駆症状・初期症状

脳卒中
- 頭蓋内圧亢進症状
- 眩暈
- 痙攣
- クッシング現象
- 中枢性過高熱
- 除皮質硬直・除脳硬直

KEYWORD
脳出血・くも膜下出血・脳梗塞

糖尿性昏睡
- 高血糖性昏睡
- 低血糖性昏睡

KEYWORD
高血糖性昏睡：
血糖値 400～500mg/dL 以上
低血糖性昏睡：
血糖値 40～60mg/dL 以下

肝性昏睡
- 肝疾患による肝臓機能低下

KEYWORD
消化管出血・便秘・感染

ショック

何らかの原因で全身性の急性循環不全が生じ、臓器への血流環流が減少することによって低酸素状態に陥り、組織・臓器の機能が障害され、生命の危機となる状態をショックといいます。

ショックの種類と特徴

疾　患		原因と特徴
循環血液量減少性ショック		● 吐血・下血・外傷などによる出血、手術後の出血など、血液のみが減少（出血性ショック） ● 広範囲熱傷など血漿成分が消失 ● 脱水、熱中症のように、細胞外液全体が減少
心原性ショック		● 心臓のポンプ機能の低下（心筋収縮力減弱）による循環不全 ⇒代表例：急性心筋梗塞
血液分布異常性ショック	アナフィラキシーショック	● なんらかの抗原刺激（抗生剤・造影剤・局所麻酔剤、解熱・鎮痛剤などの薬剤、そば・卵などの食物、虫との接触、蜂・蛇・クラゲによる刺創など）に対するアレルギーが原因 ● 循環器系だけでなく、呼吸器系にも変化をきたす
	敗血症性ショック（感染性ショック）	● 細菌や黄色ブドウ球菌などの毒素が原因 ● エンドトキシンショック、もしくは感染症ショックともいう ● 感染以外に急性膵炎などでもみられる ● 四肢が温かい
	神経原性ショック	● 疼痛など、何らかの引金により血管迷走神経反射を刺激して徐脈となり、心拍出量低下・末梢血管拡張から血圧低下が出現

CHAPTER 2

ショックのフィジカルアセスメント

ショックは生命の危機に至る重篤な状態であり、迅速なフィジカルアセスメントと緊急の対応が求められます。

注意したい観察項目

共通するショックの初期症状
- 動悸・頻脈・虚脱・冷汗・血圧低下・四肢冷感(感染性以外)・顔面蒼白・チアノーゼ

重症症状
- 脈拍不触・呼吸不全・尿量減少・昏睡

特徴的なショックの前駆症状
- 循環血液量減少性ショック:血圧低下・めまい・顔面蒼白・冷汗
- 心原性ショック:呼吸困難・冷汗・チアノーゼ・吐気
- アナフィラキシーショック:
  掻痒感、蕁麻疹、痺れ、口腔内の違和感、喉頭浮腫による気道閉塞、眩暈、耳鳴り、腹痛、便意、吐気、心悸亢進など
- * 暴露より30分で出現することが多い。造影剤なども注意が必要
- 感染性ショック:
  warm shock…血圧は低下するが、顔面・四肢が赤みを帯び、熱感あり。悪寒戦慄

POINT

注意したい情報!
- 手術の有無、外傷の有無、心疾患の既往
- 輸血・薬剤の使用状況
- 食事の内容
- アレルギーの有無・種類など

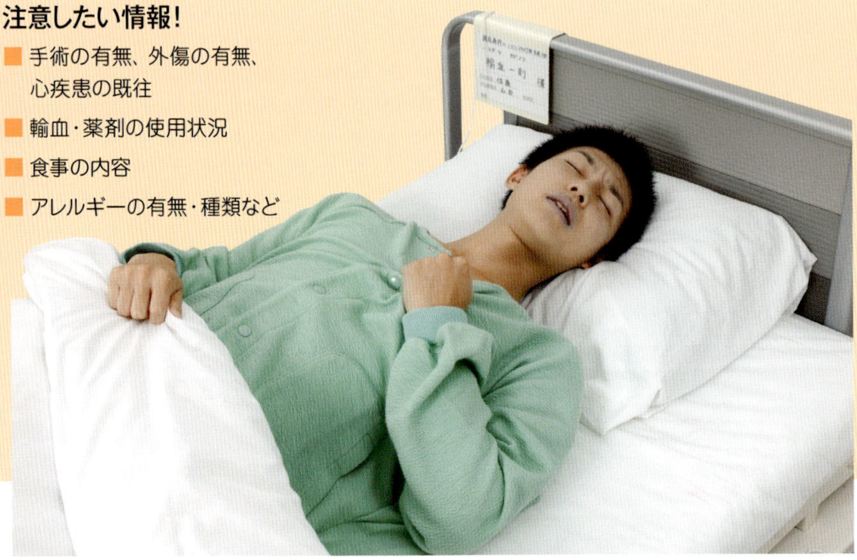

脳卒中

脳卒中とは脳出血、くも膜下出血、脳梗塞の総称です。
脳血管の病的過程により、急激に意識レベルの低下や麻痺などの神経症状が発現します。

脳卒中の種類と特徴

種類	特徴	原因	症状
脳梗塞	脳の血管の動脈硬化や血栓で血流が障害され、栄養を受けられず脳が壊死したもの	糖尿病・高脂血症などの動脈硬化や心疾患による不整脈などが原因といわれる	頭痛、嘔気、嘔吐、眩暈、神経症状（意識レベルの低下・麻痺・痙攣・知覚異常）
脳出血	脳内の血管が破れ、脳実質内に出血したもの	脳動静脈瘤や脳動静脈の奇形が原因といわれる	頭痛、嘔気、嘔吐、眩暈、神経症状（意識レベルの低下・麻痺・痙攣・知覚異常）
くも膜下出血	脳出血の一種であるが、くも膜下腔で出血したもの		＊くも膜下出血特有の症状として、強い頭痛、嘔気、項部硬直などの髄膜刺激症状がある

注）出血や梗塞の部位、範囲によって症状の出方は異なる

脳卒中のフィジカルアセスメント

広範囲の血腫、発症後の脳浮腫により頭蓋内圧亢進症状を起こすことがあり、
進行すると脳ヘルニアとなり死に至ります。
注意深く観察し、早期に対応することが重要です。

注意したい観察項目

- バイタルサイン（高血圧・不整脈・徐脈に注意する）
- 頭痛、嘔気、嘔吐、眩暈
- 言語障害、知覚障害（しびれなど）
- 麻痺、痙攣
- 意識レベル
- 瞳孔の左右差・対光反射
- 髄膜刺激症状（項部硬直など）
- 呼吸パターンの変化

CHAPTER 2

CHECK! 頭蓋内圧亢進症状

●**頭蓋内圧亢進とは**
頭蓋内は骨で囲まれたスペースであり、出血や腫瘍、脳実質の浮腫が大きくなると逃げ場を失い、圧が高まります。様々な症状の出現と共に、脳実質が圧の高いほうから低いほうへと押されて陥入し、脳ヘルニアを引き起こします。脳ヘルニアは元に戻ることはなく、脳の生命を維持する部位に影響を与え致死的な障害を引き起こします。

頭蓋内圧亢進症状の特徴	● 頭蓋内圧亢進の三徴候：頭痛、嘔吐、眼底にうっ血乳頭 ● 運動麻痺、瞳孔の左右差、対光反射の消失、呼吸の変化 ● クッシング現象、中枢性過高熱（脳性高熱症）、除皮質硬直・除脳硬直（脳ヘルニア）

脳障害によって起こる異常な呼吸パターン

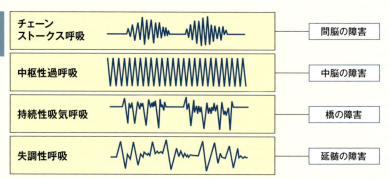

頭蓋内圧亢進状態とバイタルサインの変化

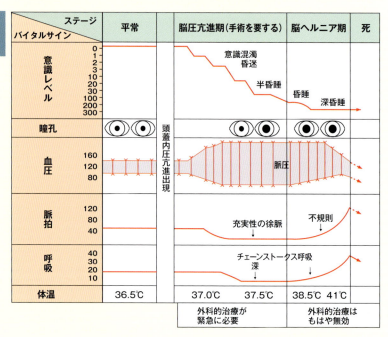

藤井千穂：バイタルサインにかかわる理学所見．p16（黒川顕編．Emergency Nursing 1997年新春増刊号 患者のみかた．メディカ出版，1997）より一部改変

フィジカルアセスメントの実際

眩暈とは
- 眩暈とは平衡を司る三半規管、脳幹などの器官が障害されて起こり、周囲が回るような感覚をいいます。
- メニエール病や突発性難聴、貧血、脳腫瘍、一過性の脳の虚血状態、脳出血でも起こります。
- 心因性により出現することもあります。

痙攣とは
- 痙攣とは、全身あるいは一部の骨格筋（随意筋）が発作的で不随に収縮することをいいます。
- 痙攣は脳出血、脳腫瘍、てんかんなどの脳の器質的障害、薬物中毒や熱性痙攣、低酸素症、電解質のアンバランスなどで起こります。
- 痙攣は、全体的か部分的か、間欠的か持続的か、意識消失の有無などに注意して観察します。

クッシング現象とは
- 頭蓋内圧が上昇すると脳血流量は低下しますが、脳には血流量を一定に保とうとする生態調節機構（ホメオスタシス）があります。心拍出量を増し血圧を上昇させ、脳血流量の低下を戻そうとします。
- その結果、収縮期血圧が高く、拡張期血圧が低くなり、脈は徐脈で脈圧が高く（圧迫脈）なる状態がクッシング現象です。

中枢性過高熱とは
- 中枢性過高熱（脳性高熱症）は、頭蓋内圧の亢進に伴い、大脳視床下部にある体温調節中枢が圧迫されることによって起こります。
- 体温が40℃以上に上昇するものの、末梢血管は触知しにくく、四肢は冷たく尿量も発汗も著しく減少します。

CHAPTER 2

CHECK! 除皮質硬直・除脳硬直

脳ヘルニアが進行すると、意識は昏睡状態になり、痛み刺激をすると筋トーヌス亢進肢位である除皮質硬直・除脳硬直がみられます。

除皮質硬直は、上肢は屈曲・内転、下肢は伸展した状態です。これがみられると、大脳皮質から間脳の障害が予想されます。

除脳硬直は、上肢の硬直、回内・伸展と下肢および体幹の伸展がみられる状態です。間脳から中脳・橋上部の障害が予想され、意識が回復する可能性は少なくなります。

除皮質硬直

上肢は屈曲・内転

股関節内転・回旋　　膝関節は伸展　　足関節は伸展

上肢は回内・伸展

除脳硬直

筋トーヌスとは、肢位を維持するための骨格筋の適度な緊張のことです。
筋トーヌスが亢進すると、筋トーヌス亢進肢位がみられます。

糖尿病性昏睡・肝性昏睡

糖尿病性昏睡はインスリンの急激な作用不足による高血糖性昏睡、および重度の低血糖による低血糖性昏睡があります。

肝性昏睡は、肝疾患により血中にアンモニアが増加して起こります。

糖尿病性昏睡（高血糖性昏睡）

- 原因：インスリンの急激な作用不足によって、高血糖状態になる
- 病態：ブドウ糖の分解ができず、代わりに脂肪を分解しエネルギーとする。脂肪分解の際にケトン体がつくられ、血液中に増加、弱アルカリ性の血液が酸性に傾き、昏睡状態となる
- 誘因：インスリン投与の中止、感染症、ストレス、術後の高カロリー輸液やステロイド投与
- 初期症状：口渇・多飲・多尿・口臭（甘酸っぱいアセトン臭）・倦怠感・脱力・嘔吐・腹痛などが出現
- 悪化：昏睡・頻脈・血圧低下・脱水となり、クスマウル呼吸（ケトアシドーシスの場合）がみられる
- 血糖値：およそ400〜500mg/dL以上から注意が必要

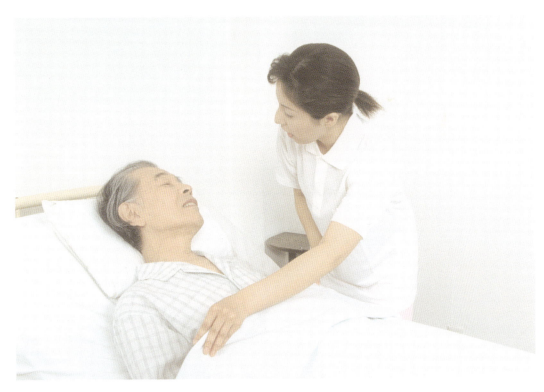

低血糖性昏睡

- インスリンや内服血糖降下薬の治療を受けている人に起こりやすい
- 原因：インスリンの過剰投与、過度な運動、食事量低下、アルコール摂取、併用薬剤の影響
- 血糖コントロール不良は手術後やシックデイ*に起こりやすい

  *シックデイ：下痢・嘔吐・感染などの体調不良の時のこと

- 脳は糖のみをエネルギーとするため、重度の低血糖では、昏睡になる。昏睡が5時間程度続いた場合、脳の不可逆的変化を起こすおそれがあるため、緊急な対応が必要
- 初期症状：空腹感・悪心・あくび・脱力感・冷汗・痙攣・動悸・目のかすみなど
- 初期症状出現時に糖分を補給すると、回復することが多い
- 血糖値：40～60mg/dL以下になると起こる

肝性昏睡

- 原因：急性・慢性の肝疾患により肝臓の機能が低下し、人体に有害な物質であるアンモニアを分解して排泄できなくなるため、血液中のアンモニアの量が増え、昏睡となる
- 誘因：消化管出血・便秘・感染
- 初期症状：不穏・徘徊、ぼんやりしているなどの傾眠傾向、深く荒い呼吸、アンモニア口臭（肝性臭）、羽ばたき振戦*など

  *羽ばたき振戦：手関節や手指が上下に動き、羽ばたいているようにみえる異常な不随意運動

フィジカルアセスメントの実際

意識障害：フィジカルアセスメントの内容と進め方

ショック

視診・触診・聴診

症状	動悸・頻脈・虚脱感・冷汗・血圧低下・チアノーゼ
	●循環血液量減少性ショック：出血（吐下血を含む）・眩暈・顔面蒼白
	●アナフィラキシーショック：掻痒感・蕁麻疹・しびれ・喉頭浮腫による気道閉塞・耳鳴り・腹痛・便意・嘔吐・心悸亢進
	●敗血性ショック（感染性ショック）：warm shock（血圧低下・四肢熱感・顔面紅潮）・発熱
	●心原性ショック：呼吸困難

問診

アレルギー	有無・種類
刺創	蜂・クラゲなど
使用している薬剤	血液凝固剤・抗生剤・造影剤・麻酔薬
既往歴	急性心筋梗塞・急性膵炎など
手術歴	発生状況

脳卒中

視診・触診・聴診

症状	意識障害・頭痛・嘔気・眩暈・言語障害・しびれ・麻痺・瞳孔不同
	●くも膜下出血の場合：強い頭痛・髄膜刺激症状

問診

使用している薬剤	降圧剤・抗不整脈剤・抗血液凝固剤・強心剤など
既往歴	高血圧・低血圧・高脂血症・動脈硬化・心疾患など
発生状況	

肝性昏睡

視診・触診・聴診

症状	不穏・徘徊・傾眠傾向・深く荒い呼吸・アンモニア口臭・羽ばたき振戦

問診

アルコール摂取状況	
既往歴	劇症肝炎・肝硬変など
使用している薬剤	発生状況

高血糖性昏睡

視診・触診・聴診

血糖	●400～500mg/dL以上
症状	口渇・多飲・多尿・口臭（アセトン臭）・倦怠感・脱力・嘔吐・腹痛
	●重症化した場合：昏睡・血圧低下・クスマウル呼吸・脱水

低血糖性昏睡

視診・触診・聴診

血糖	●40～60mg/dL以下
症状	欠伸・脱力感・嘔気・冷汗・動悸・痙攣・眼のかすみ

問診

既往歴	糖尿病・肝臓病	家族歴	
使用している薬剤	糖尿病・肝臓病治療薬の種類	日常の活動量	
食事	種類・量	アルコール摂取状況	発生状況

CHAPTER 2　生命の危機

CHAPTER 2

CASE 意識障害：事例

62歳・女性／糖尿病の治療目的で入院中、浴室で倒れているところを発見

視診・触診

- 62歳・女性 糖尿病の血糖コントロールのため入院中
- 浴室で倒れているところを、様子を見にきた看護師に発見された
- → 緊急コールを押し、医師・看護師を呼ぶと同時に、観察を行う

- 意識レベルⅢ-100（JCS）
- 瞳孔3mm、左右差なし、対光反射（＋）、右共同偏視あり
- 疼痛刺激で、右上下肢はかすかに動かすが、左上下肢は全く動かさない
- 全身に外傷はみられず、出血なし

VS
- BT＝36.5℃
- P＝84回/分
- R＝26回/分（いびき様呼吸）
- BP＝210/98mmHg

- 血糖値測定 108mg/dL

基本情報
- ◆高血圧でディオバン®1錠/日を内服中
- ◆糖尿病のため、ペンフィルを使用中
- ◆高脂血症

問診

フィジカルアセスメントの思考過程

- 意識レベル低下の原因として、血圧が高いことから脳出血が、あるいは糖尿病であることから低血糖または高血糖が考えられる

- 血糖値を測定したところ、正常範囲内であることから、糖尿病性昏睡は否定されると考えられる
- 高血圧で内服中であり、血圧が高かったことから脳疾患が考えられる
- 疾患の特定のために、頭部CT検査が必要と考えられる

結論
脳疾患による意識消失と考えられる。
頭蓋内圧亢進症状が起こる可能性がある。
異常を早期発見するため、頻回にバイタルサイン、意識レベル、呼吸状態、神経学的所見を観察していく。

索引

あ

- アキレス腱反射 ················ 160
- 握力測定 ······················ 155
- アシドーシス ···················· 41
- 圧痛 ··························· 197
- 圧反射 ·························· 35
- アナフィラキシーショック
  →血液分布異常性ショックの項
- アルツハイマー型認知症 ······ 226
- アレンテスト ···················· 70

い

- 意識 ····························· 30
- 異常体温 ························ 33
- 一般状態の観察 ················· 31
- いびき音 ······················· 100

う

- ウェーバー試験 ················ 120
- ウェルニッケ中枢
  →聴覚性言語中枢の項
- うっ血乳頭 ···················· 115
- 運動性言語中枢 ················ 130
- 運動野 ························· 107

え

- 腋窩皮膚温の分布 ··············· 36
- 腋窩リンパ節 ············ 170, 213
- 液性調節 ························ 46

お

- 横隔膜の可動域 ·················· 95
- 音声振盪 ························ 93

か

- 外耳道 ························· 119
- 解釈モデル ······················· 18
- 疥癬 ···························· 167
- 咳嗽反射 ························ 89
- 開放型質問 ······················· 19
- 潰瘍 ···························· 166
- 下顎呼吸 ························ 42
- 踵おろし衝撃試験 ··············· 197
- 顎下腺 ························· 127
- 拡張期血圧→最低血圧の項
- 角度計 ························· 146
- 下肢静脈瘤 ······················· 79
- 下肢リンパ節 ·················· 173
- 肩関節 ················ 145, 150, 156

- 眼位異常 ······················· 116
- 感音性難聴 ···················· 119
- 感覚器 ························· 106
- 感覚性言語中枢 ················ 130
- 感覚野 ························· 107
- 換気障害 ························ 87
- 眼球運動 ······················· 113
- 眼球結膜 ······················· 109
- 眼瞼結膜 ······················· 109
- 眼振 ···························· 113
- 肝性昏睡 ······················· 238
- 関節運動 ······················· 147
- 関節可動域 ··············· 145, 146
- 間接対光反射 ·················· 110
- 関節の拘縮 ···················· 145
- 感染性ショック
  →血液分布異常性ショックの項
- 眼底 ···························· 115
- 眼底鏡 ························· 114
- 眼底出血 ······················· 115
- 陥入爪 ························· 167
- 陥没呼吸 ························ 42
- 陥没乳頭 ······················· 115
- 関連痛 ························· 194

き

- 既往歴 ··························· 18
- 気管呼吸音 ······················· 98
- 気管支呼吸音 ···················· 98
- 気管支肺胞呼吸音 ··············· 98
- 起座呼吸 ························ 43
- 気伝導 ························· 121
- 丘疹 ···························· 166
- 胸郭 ······················· 63, 85
- 胸郭の可動性 ···················· 92
- 胸部打診音 ······················ 94
- 亀裂 ···························· 166
- 筋（全身） ····················· 136
- 筋力 ···························· 154

く

- クスマウル呼吸 ·················· 41
- 口すぼめ呼吸 ···················· 43
- クッシング現象 ················ 235
- くも膜下出血 ·················· 233
- グラスゴー・コーマ・スケール ··· 54

け

- 頸静脈 ····················· 61, 65
- 頸動脈 ············· 61, 68, 77, 78
- 頸部関節 ······················· 151
- 痙攣 ···························· 235

- 血圧 ······················· 30, 46
- 血圧計 ·························· 48
- 血圧の基準値 ···················· 47
- 血圧の測定 ······················ 48
- 血圧の調節 ······················ 46
- 血液循環量 ······················ 46
- 血液分布異常性ショック ······ 231
- 結節 ···························· 166
- 結滞 ······················· 39, 66
- 解熱の型 ························ 37
- 腱反射 ························· 160

こ

- 構音器官 ······················· 130
- 口腔 ···························· 124
- 口腔内 ························· 125
- 後脛骨動脈 ··················· 61, 72
- 高血糖性昏睡 ·················· 237
- 交互脈 ·························· 66
- 甲状腺 ························· 174
- 高体温 ·························· 33
- 高炭酸ガス結晶 ·················· 91
- 肛門 ···························· 200
- 高齢者総合機能評価 ············ 228
- 後弯症 ·························· 63
- 鼓音 ····························· 25
- 股関節 ················ 145, 152, 157
- 呼吸 ······················· 30, 41
- 呼吸運動 ························ 86
- 呼吸音の減弱 ···················· 99
- 呼吸音の消失 ···················· 99
- 呼吸音の分類 ···················· 96
- 呼吸器 ·························· 84
- 呼吸困難 ························ 83
- 呼吸数 ·························· 41
- 呼吸性不整脈 ··············· 39, 66
- 呼吸中枢 ························ 42
- 呼吸調節 ························ 42
- 呼吸の型 ························ 41
- 呼吸のしくみ ···················· 42
- 呼吸の測定 ······················ 44
- 固形物嚥下障害 ················ 180
- 骨格（全身） ··················· 135
- 骨伝導 ························· 121
- ゴニオメーター→角度計の項
- 鼓膜 ···························· 119
- コロトコフ音 ···················· 45
- 混合性難聴 ···················· 119

さ

- 最高血圧 ························ 45
- 最低血圧 ························ 45
- 鎖骨下リンパ節 ················ 213

索引

鎖骨上リンパ節……………171, 213
三叉神経………………………128
三尖弁………………………77, 78
酸素解離曲線…………………90
酸素飽和度……………………90

し

耳下腺…………………………127
耳鏡……………………………118
視神経交差……………………116
視神経乳頭……………………115
持続性吸気呼吸………………234
膝窩動脈…………………61, 72
膝関節………………145, 153, 157
失調性呼吸……………………234
指腹法（乳房の触診）………211
視野欠損………………………116
斜視……………………………111
ジャパン・コーマ・スケール…55
収縮期血圧→最高血圧の項
周辺症状………………………226
主訴……………………………18
手段的日常生活動作…………229
循環血液量減少性ショック…231, 232
消化管…………………………184
上橈尺関節……………………145
静脈……………………………61
上腕三頭筋反射………………159
上腕動脈…………………61, 68
褥瘡……………………………169
女性性器………………………216
除脳硬直………………………236
除皮質硬直……………………236
視力……………………………111
心音……………………………76
真菌感染………………………167
神経原性ショック
　→血液分布異常性ショックの項
神経性調節……………………46
心原性ショック………………231
心雑音…………………………76
心尖拍動……………………64, 73
心臓の大きさ…………………75
心臓の血管……………………60
心臓の刺激伝導系……………60
心電図…………………………67
心拍出量………………………46
深部腱反射……………………159
深部静脈血栓症………………79
心不全…………………………62
蕁麻疹…………………………166

す

髄節……………………………128
水分バランス…………………32
水疱……………………………166
水泡音…………………………101
頭蓋内圧亢進症状……………234
スクラッチテスト……………186
スリル…………………………73

せ

清音……………………………25
正常呼吸音（聴診部位別）…98
正常体温………………………33
正常の呼吸……………………41
静水力学的圧力………………50
整脈……………………………39
脊髄神経………………………139
脊柱……………………………138
脊柱管狭窄症…………………140
脊柱側彎症……………………138
絶対性不整脈…………………39
セットポイント………………40
浅側頭動脈………………61, 72
せん妄…………………………227

そ

爪床圧迫テスト………………70
蒼白な爪………………………167
僧帽弁………………………77, 78
足背動脈…………………61, 72
側彎症…………………………88
鼠径部腫瘤……………………194
鼠径リンパ節…………170, 173
咀嚼・嚥下機能………180, 182
咀嚼・嚥下障害………………181

た

体温……………………………30, 33
体温計…………………………34
体温調節………………………34
体温の測定……………………35
帯下の異常所見………………217
対光反射………………………110
対座視野………………………112
体循環…………………………61
代償運動………………………146
大腿動脈…………………61, 71
大動脈弁………………………77
大脳皮質………………………107
大脳皮質の機能局在…………107

唾液腺…………………………127
濁音……………………………25
多軸性関節……………………145
多発梗塞性認知症……………226
樽状胸…………………………63
男性性器………………………215
痰の観察………………………89

ち

チアノーゼ…………………43, 88
チェーンストークス呼吸…41, 234
中核症状………………………226
中枢神経………………………105
中枢性過高熱…………………235
中枢性過呼吸…………………234
調律異常………………………66
聴力検査………………………120
直腸……………………………200

つ

つぎ足歩行……………………141
爪………………………………165

て

低血糖性昏睡…………………238
低体温…………………………33
笛音……………………………100
デルマトーム…………………128
伝音性難聴……………………119

と

頭頸部リンパ節………………171
瞳孔の大きさ…………………111
橈骨手根関節…………145, 148
橈骨動脈…………………61, 69
動脈…………………………61, 66
動脈血酸素分圧………………90
徒手筋力測定法………………155
怒張……………………………65
努力呼吸………………………43

に

日常生活自立度（寝たきり度）判定基準
　………………………228, 229
日常生活動作…………228, 229
乳がんの好発部位……………210
乳房……………………………213
乳房の自己検診………………214
乳房の触診……………………211

尿失禁 225
尿の性状 204

ね
熱型 37
熱産生 34
熱放散 34
捻髪音 101

の
脳梗塞 233
脳出血 233
脳神経 106
膿疱 166

は
肺気量分画 87
肺区域 84
敗血症ショック
　→血液分布異常性ショックの項
肺循環 61
バイタルサイン 30
肺動脈弁 77
肺胞 84
肺胞呼吸音 98
バチ状指 88, 167
波動テスト 199
鼻 122
バビンスキー反射 161
バレーテスト 154
反射 158
半側空間無視 116
反動痛 197

ひ
ビオー呼吸 41
肥厚 167
肘関節 149, 156
皮疹 166, 167, 169
泌尿器 203
泌尿器疾患 203
皮膚 165
皮膚感覚 128
皮膚線条 194
表在反射 161
病的反射 161
鼻翼呼吸 42
平手法（乳房の触診） 211
びらん 166
頻尿 225

ふ
複視 116
腹水 198
腹痛 194
副乳頭 217
副乳房 217
副鼻腔 123
腹部の分割法 185
腹壁静脈怒張 194
腹膜刺激症状 197
浮腫 173
不明熱 33
ブランチテスト→爪床圧迫テストの項
ブローカー中枢→運動性言語中枢の項

へ
閉鎖型質問 19
変形性膝関節症 144
便の形状 204

ほ
放散痛 194
膨疹→蕁麻疹の項
ホーマンズ徴候 79
歩行異常 143
歩行テスト 141

ま
末梢血管抵抗 46
末梢神経 105
マンシェット 48, 52, 53

み
味覚 124
耳 117
脈の大きさ 38
脈のリズム 39
脈拍 30, 38
脈拍数 38
脈拍の異常 66
脈拍の測定 39
ミルクライン→副乳房の項

め
眼 108
メタボリックシンドローム 32
眩暈 235

も
もの忘れ 226

ゆ
指鼻指試験 142

り
リズム不整 39, 66
流動物嚥下障害 180
リンネ試験 121
リンパ 170
リンパ節触診 212

れ
レビー小体型認知症 226

ろ
漏斗胸 63
ロンベルグ試験 141

アルファベット・数字
ADL→日常生活動作の項
BMI (Body Mass Index) 31
CGA (Comprehensive geriatric assessment)
　→高齢者総合機能評価の項
Fletcher-Hugh-Jonesの分類 83
GCS (Glasgow coma scale)
　→グラスゴー・コーマ・スケールの項
IADL→手段的日常生活動作の項
JCS (Japan coma scale)
　→ジャパン・コーマ・スケールの項
MMT (Manual Muscle Testing)
　→徒手筋力測定法の項
MRC息切れスケール 83
O脚 140
warm shock 232
X脚 140
1軸性関節 145
I音 76
2軸性関節 145
2段脈 39
II音 76

参考文献

CHAPTER 1 フィジカルアセスメントに共通する技術

1) Bickley LS, Szilagyi PG 著, 福井次矢, 井部俊子日本語監修：ベイツ診察法 第2版（原書第11版）．メディカル・サイエンス・インターナショナル, 2015
2) 日野原重明編：フィジカルアセスメント ナースに必要な診断の知識と技術 第4版．医学書院, 2006
3) 箕輪良行, 陣田泰子監修：Primary Nurse Series 動画でナットク！フィジカルアセスメント—早期発見からセルフケアへ—. 中央法規出版, 2006
4) 小野田千枝子監修, 高橋照子, 芳賀佐和子, 佐藤冨美子編：実践！フィジカル・アセスメント—看護者としての基礎技術— 改訂第3版．金原出版, 2008
5) 藤崎郁著, 伴信太郎監修：フィジカルアセスメント完全ガイド 第2版．学習研究社, 2014
6) Tierney LM, Hendarson MC編, 山内豊明監修：聞く技術 答えは患者の中にある（上）. 日経BP社, 2006
7) 福井次矢編, 岩井郁子, 北村聖監修協力, 日野原重明, 井村裕夫監修：看護のための最新医学講座 32 医療面接から診断へ．中山書店, 2002

CHAPTER 2 フィジカルアセスメントの実際

●一般状態と生命徴候

1) 日野原重明編：フィジカルアセスメント ナースに必要な診断の知識と技術 第4版．医学書院, 2006
2) 日野原重明：刷新してほしいナースのバイタルサイン技法—古い看護から新しい臨床看護へ．日本看護協会出版会, 2002
3) 日本高血圧学会高血圧治療ガイドライン作成委員会：高血圧治療ガイドライン2014. 日本高血圧学会, 2014
4) 氏家幸子, 阿曽洋子, 井上智子：基礎看護技術（I）第6版．医学書院, 2005
5) 岩井郁子著, 馬場一雄, 他編：看護Mook7 バイタルサインの見かた考え方．金原出版, 1983
6) 日野原重明, 阿部正和, 安岡大仁, 他：バイタルサイン そのとらえ方とケアへの生かし方．医学書院, 1985
7) 小野田千枝子監修, 高橋照子, 芳賀佐和子, 佐藤冨美子編：実践！フィジカル・アセスメント—看護者としての基礎技術— 改訂第3版．金原出版, 2008
8) 和田功編：実践臨床手技ガイド 第2版．文光堂, 2003
9) 厚生労働省健康対策指標検討研究班：生活習慣病健診・保健指導の在り方に関する検討会第3回会議資料, 2008
10) メタボリックシンドローム診断基準検討委員会：メタボリックシンドロームの定義と診断基準．日本内科学会雑誌 94（4）, 2014
11) 阿部正和：看護生理学—生理学よりみた基礎看護—. メヂカルフレンド社, 1985

●生命を維持する

1) 古谷伸之：診察と手技がみえるVol.1 第2版．メディックメディア, 2007
2) 日野原重明編：フィジカルアセスメント ナースに必要な診断の知識と技術 第4版．医学書院, 2006
3) 本郷利憲, 廣重力：標準生理学．医学書院, 2000
4) 川島みどり：実践看護技術学習支援テキスト基礎看護学．日本看護協会出版会, 2003
5) 日本禁煙学会：禁煙学．南山堂, 2007
6) 日本呼吸器学会肺生理専門委員会：臨床呼吸機能検査 第7版．メディカルレビュー社, 2008
7) 堺章：新訂 目で見るからだのメカニズム．医学書院, 2000
8) 髙橋仁美, 宮川哲夫, 塩谷隆信：動画でわかる呼吸リハビリテーション．中山書店, 2006
9) 坂井建雄；系統看護学講座 専門基礎 解剖生理学　人体の構造と機能1．医学書院, 2014
10) 藤崎郁著, 伴信太郎監修：フィジカルアセスメント完全ガイド 第2版．学習研究社, 2014
11) 医療情報科学研究所編集：病気がみえるvol.2 循環器　第3版．メディックメディア, 2010
12) 髙階經和：心電図を学ぶ人のために．医学書院, 2005
13) 坂井建雄, 橋本尚詞：ぜんぶわかる人体解剖図．成美堂出版, 2012
14) 髙橋仁美, 宮川哲夫, 塩谷隆信：動画でわかる呼吸リハビリテーション 第4版．中山書店, 2016
15) 髙階經和：ドクター・タカシナの心臓病患者の診察ガイドブック．インターメディカ, 2008

●見る・聴く・嗅ぐ・味わう・触れる・話す

1) Bickley LS, Szilagyi PG 著, 福井次矢, 井部俊子日本語監修：ベイツ診察法 第2版（原書第11版）．メディカル・サイエンス・インターナショナル, 2015
2) 植木純, 宮脇美保子監修・編：看護に生かすフィジカルアセスメント．照林社, 2007
3) 古谷伸之編：診察と手技がみえる Vol.1 第2版．メディックメディア, 2007
4) 藤崎郁著, 伴信太郎監修：フィジカルアセスメント完全ガイド 第2版．学習研究社, 2014
5) 日野原重明編：フィジカルアセスメント ナースに必要な診断の知識と技術 第4版．医学書院, 2006
6) 林正健二編：ナーシンググラフィカ（I）人体の構造と機能・解剖生理学．メディカ出版, 2004
7) Netter FH 著, 相磯貞和訳：ネッター解剖学アトラス（原書第3版）．南江堂, 2004
8) Rohen JW, 横地千仭, Lutjen-Drecoll E: 解剖学カラーアトラス 第5版．医学書院, 2004
9) 医療情報科学研究所編集：フィジカルアセスメントがみえる．メディックメディア, 2015
10) 山内豊明：見る・聴く・触るを極める！山内先生のフィジカルアセスメント．エス・エム・エス, 2014
11) 田崎義昭他：ベッドサイドの神経の診かた 改訂18版．南山堂, 2016

●身体を動かす

1) Netter FH 著, 相磯貞和訳：ネッター解剖学アトラス（原書第3版）．南江堂, 2004
2) Rohen JW, 横地千仭, Lutjen-Drecoll E: 解剖学カラーアトラス 第5版．医学書院, 2004
3) 日本整形外科学会編：整形外科学用語集 第8版．南江堂, 2016
4) 奈良勲監修, 内山靖編：理学療法学事典．医学書院, 2006
5) Bickley LS, Szilagyi PG 著, 福井次矢, 井部俊子日本語監修：ベイツ診察法 第2版（原書第11版）．メディカル・サイエンス・インターナショナル, 2015
6) Hislop HJ, Montgomery J 著, 津山直一, 中村耕三訳：新・徒手筋力検査法（原著第9版）．協同医書出版社, 2014
7) 日野原重明編：フィジカルアセスメント ナースに必要な診断の知識と技術 第4版．医学書院, 2006
8) 箕輪良行, 陣田泰子監修：Primary Nurse Series 動画でナットク！フィジカルアセスメント—早期発見からセルフケアへ—. 中央法規出版, 2006
9) 藤崎郁著, 伴信太郎監修：フィジカルアセスメント完全ガイド 第2版．学習研究社, 2014
10) 小野田千枝子監修, 高橋照子, 芳賀佐和子, 佐藤冨美子編：実践！フィジカル・アセスメント—看護者としての基礎技術— 改訂第3版．金原出版, 2008
11) 佐藤達夫, 坂井建雄監訳：臨床のための解剖学 第2版．メディカル・サイエンス・インターナショナル, 2016

●身体を守る

1) Bates B. Bates' Guide to Physical Examination and History Taking. 5th ed. Lippincott, 1991
2) Netter FH 著, 相磯貞和訳: ネッター解剖学アトラス (原書第3版). 南江堂, 2004
3) Rohen JW, 横地千仭, Lutjen-Drecoll E: 解剖学カラーアトラス 第5版. 医学書院, 2004
4) Bickley LS, Szilagyi PG 著, 福井次矢, 井部俊子日本語監修. ベイツ診察法 第2版 (原書第11版). メディカル・サイエンス・インターナショナル, 2015
5) 日野原重明編: フィジカルアセスメント ナースに必要な診断の知識と技術 第4版. 医学書院, 2006
6) 箕輪良行, 陣田泰子監修: Primary Nurse Series 動画でナットク! フィジカルアセスメント—早期発見からセルフケアへ—. 中央法規出版, 2006
7) 南山堂 医学大辞典 (豪華版) 第19版. 南山堂, 2006
8) 藤崎郁著, 伴信太郎監修: フィジカルアセスメント完全ガイド 第2版. 学習研究社, 2014
9) 小野田千枝子監修, 高橋照子, 芳賀佐和子, 佐藤冨美子編: 実践! フィジカル・アセスメント—看護者としての基礎技術— 改訂第3版. 金原出版, 2008
10) 中條俊夫: 褥瘡発赤初期の皮下硬結の意義. 日本褥瘡学会誌 2009; 11 (1): 8-14
11) National Pressure Ulcer Advisory Panel (NPUAP). UPDATED STAGING SYSTEM. http://www.npuap.org/pr2.htm (参照 2009.07.02)
12) 真田弘美, 須釜淳子編: 実践に基づく最新褥瘡看護技術 どう観るどう治す. 照林社, 2007

●食べる・栄養をとりこむ

1) Bickley LS, Szilagyi PG 著, 福井次矢, 井部俊子日本語監修: ベイツ診察法 第2版 (原書第11版). メディカル・サイエンス・インターナショナル, 2015
2) 日野原重明編: フィジカルアセスメント ナースに必要な診断の知識と技術 第4版. 医学書院, 2006
3) 藤島一郎: よくわかる嚥下障害 改訂第2版. 永井書店, 2005
4) 鎌倉やよい: 嚥下障害ナーシング. 医学書院, 2000
5) Murray J 著, 道健一, 道脇幸博監訳: 摂食・嚥下機能評価マニュアル. 医歯薬出版, 2001
6) 日本嚥下障害臨床研究会: 嚥下障害の臨床 第2版. 医歯薬出版, 2008
7) 医療情報科学研究所編集: 病気がみえるvol.1 消化器 第5版. メディックメディア, 2016

●排泄する

1) Netter FH 著, 相磯貞和訳: ネッター解剖学アトラス (原書第3版). 南江堂, 2004
2) Rohen JW, 横地千仭, Lutjen-Drecoll E: 解剖学カラーアトラス 第5版. 医学書院, 2004
3) Faller A 著, 酒井恒訳: ひとのからだ. 文光堂, 1982
4) Bickley LS, Szilagyi PG 著, 福井次矢, 井部俊子日本語監修: ベイツ診察法 第2版 (原書第11版). メディカル・サイエンス・インターナショナル, 2015
5) Barkauskas VH, Stoltenberg-Allen K, Baumann LC, Darling-Eisher C 著, 花田妙子, 山内豊明, 中木高夫訳: ヘルス・フィジカルアセスメント上巻. 日総研出版, 1998
6) 藤崎郁著, 伴信太郎監修: フィジカルアセスメント完全ガイド 第2版. 学習研究社, 2014
7) 大塚敏文, 益子邦洋: 救急医療ファーストエイドマニュアル. インターメディカ, 1989
8) 小野田千枝子監修, 高橋照子, 芳賀佐和子, 佐藤冨美子編: 実践! フィジカル・アセスメント—看護者としての基礎技術— 改訂第3版. 金原出版, 2008
9) Longstreth GF, Thompson WG, Chey WD, Houghton LA, Mearin F, Spiller RC. Functional bowel disorders. Gastroenterology 2006; 130(5): 1480-1491
10) 渡辺皓: 図解ワンポイントシリーズ1 解剖学—人体の構造と機能. 医学芸術社, 2008

●セクシャリティ

1) Bickley LS, Szilagyi PG 著, 福井次矢, 井部俊子日本語監修: ベイツ診察法 第2版 (原書第11版). メディカル・サイエンス・インターナショナル, 2015
2) 箕輪良行, 陣田泰子監修: Primary Nurse Series 動画でナットク! フィジカルアセスメント—早期発見からセルフケアへ—. 中央法規出版, 2006
3) 性の健康医学財団: 性感染症/HIV感染. メジカルビュー社, 2001
4) 対馬ルリ子: STD 性感染症. 池田書店, 2000
5) 藤崎郁著, 伴信太郎監修: フィジカルアセスメント完全ガイド 第2版. 学習研究社, 2014

●加齢による変化

1) Bickley LS, Szilagyi PG 著, 福井次矢, 井部俊子日本語監修: ベイツ診察法 第2版 (原書第11版). メディカル・サイエンス・インターナショナル, 2015
2) 日野原重明編: フィジカルアセスメント ナースに必要な診断の知識と技術 第4版. 医学書院, 2006
3) 日本老年行動科学会著, 井上勝也監修. 大川一郎編: 高齢者の「こころ」事典. 中央法規出版, 2000
4) 小玉敏江, 亀井智子編著: 改訂 高齢者看護学. 中央法規出版, 2007
5) 厚生労働省: 介護保険法.
   http://wwwhourei.mhlw.go.jp/hourei/html/hourei/search1.html (参照2009.08.05)
6) 厚生労働省法令等データベース:「障害老人の日常生活自立度(寝たきり度)判定基準」の活用について.
   http://wwwhourei.mhlw.go.jp/hourei/html/tsuchi/contents.html (参照2009.11.30)
7) 厚生労働省: 平成19年介護サービス施設・事業所調査結果の概況: 用語の定義.
   http://www.mhlw.go.jp/toukei/saikin/hw/kaigo/service07/yougo.html (参照2009.11.30)
8) 中島紀恵子: 認知症高齢者の看護. 医歯薬出版, 2008
9) 太田信夫, 多鹿秀継編著: 記憶の生涯発達心理学. 北大路書房, 2008
10) 鳥羽研二: 高齢者総合的機能評価ガイドライン. 厚生科学研究所, 2003
11) 六角僚子: アセスメントからはじまる高齢者ケア 生活支援のための6領域ガイド. 医学書院, 2008
12) 芦川和高編纂: Nursing Mook 高齢者の理解とケア—加齢・症状のメカニズムと対応. 学研メディカル秀潤社, 2011

●生命の危機

1) 髙橋章子, 藤原正恵監修: ナース専科2000年7月臨時増刊号 急変対応に強くなる. エス・エム・エス, 2000
2) 氏家良人: 救急看護と急変処置. メディカ出版, 2002
3) 高久史麿編: 医学大辞典 第2版. 医学書院, 2009
4) 大塚敏文, 益子邦洋編著: 救急医療ファーストエイドマニュアル 第3版. インターメディカ, 1997
5) 竹内登美子編著: 周手術期看護 2術中/術後の生体反応と急性期看護. 医歯薬出版, 2000
6) 宮崎和子監修: 看護観察のキーポイントシリーズ 成人内科 (①). 中央法規出版, 2003
7) 宮子あずさ, 川人明: 別冊ナーシング・トゥデイ②基礎医学の知識. 日本看護協会出版会, 1993

新訂版 写真でわかる

看護のための
フィジカルアセスメント アドバンス
生活者の視点から学ぶ身体診察法

2020年	1月20日	初版 第1刷発行
2021年	2月10日	初版 第2刷発行
2022年	3月10日	初版 第3刷発行
2024年	1月30日	初版 第4刷発行
2025年	1月30日	初版 第5刷発行

[監　　修] 守田美奈子
[医学指導] 鈴木憲史
[発 行 人] 赤土正明
[発 行 所] 株式会社インターメディカ
　　　　　〒102-0072　東京都千代田区飯田橋 2-14-2
　　　　　TEL.03-3234-9559　FAX.03-3239-3066
　　　　　URL　https://www.intermedica.co.jp
[印　　刷] TOPPANクロレ株式会社

[デザイン・DTP] 真野デザイン事務所

ISBN978-4-89996-408-7
定価はカバーに表示してあります。

本書の内容（本文、図表、写真、イラストなど）を、当社および著作権者の許可なく無断複製する行為（複写、スキャン、デジタルデータ化、翻訳、データベースへの入力、インターネットへの掲載など）は、「私的使用のための複製」などの著作権法上の例外を除き、禁じられています。病院や施設などにおいて、業務上使用する目的で上記の行為を行うことは、その使用範囲が内部に限定されるものであっても、「私的使用」の範囲に含まれず、違法です。また、本書を代行業者などの第三者に依頼して上記の行為を行うことは、個人や家庭内での利用であっても一切認められておりません。